알려주면 누구나 쓸 수 있는
경제 교양 비법사전

- 입지편 -

알려주면 누구나 쓸 수 있는 경제 교양 비법사전, 입지편

발 행 | 2024년 3월 13일
저 자 | 리치래빗
펴낸이 | 한건희
펴낸곳 | 주식회사 부크크
출판사등록 | 2014.07.15.(제2014-16호)
주 소 | 서울특별시 금천구 가산디지털1로 119 SK트윈타워 A동 305호
전 화 | 1670-8316
이메일 | info@bookk.co.kr

ISBN | 979-11-410-7637-5

www.bookk.co.kr

누구나
알려주면 ♥ 쓸수있는
경제 교양 비법사전
·입지편·

★ ★ ★ ★ ★

"당신은 입지에 대해 얼마나 알고 있습니까?"

지역분석이 아닌 '진짜 입지'에 대한 책
핵심만 체계적이고 직관적으로 알려드립니다.

0 | 프롤로그

여러분은 '입지'를 무엇이라고 생각하십니까?

 시중에 나와있는 책들 중에 '입지'와 관련된 책을 보면 대부분 '입지' 자체를 다루는 것이 아니라 어떤 특정 지역을 분석한 책들이 대부분입니다. 해당 지역의 아파트 시세나 학교 및 상권의 위치, 호재나 개발계획 등 지역을 분석한 내용들로 채워져 있죠. 물론 좋은 정보들을 보기좋게 잘 정리해서 전달하면 읽는 사람 입장에서는 편하겠지만, 실제로 내가 그 지역을 세세히 살펴보면서 직접 제작한 것이 아니면 읽은 후에는 머릿속에 남는 것이 별로 없습니다. 실제로 입지를 분석하는 힘을 기르기도 어렵죠.

 이 책은 특정 지역의 입지분석보다는 '입지요소 자체'를 중심으로 구성되어 있습니다. 부동산 투자나 내집마련을 할 때 알아야 하는 기초 지식으로서 입지가 어떤 것이며 왜 중요하며 무엇을 기준으로 입지를 평가해야 하는지를 자세히 풀어놓았습니다.

'입지를 스스로 평가할 수 있는 능력'을 기르는 방법

 이러한 핵심적인 개념을 중심으로 입지를 분석해 나가야 스스로 입지를 분석할 수 있는 힘이 생깁니다. 다른 사람이 분석해 놓은 자료를 보는 것만으로는 '스스로 입지와 가격을 평가할 수 있는 능력'을 기르기 어렵습니다. 기본원리를 바탕으로 내가 기준을 잡아 입지에 대한 가설을 세우고 가격을 평가하여 나의 가설을 증명하는 과정을 통해 입지평가에 대한 감각을 기를 수 있습니다. 이러한 기본원리를 이해하면 다양한 지역과 상황에 적용하면서 나름대로의 투자원칙을 다듬어갈 수도 있죠. 반대로 말하면, 이러한 기본원리에 대한 이해가 없을 경우, 원리보다 정보나 호재에 더 집착하게 되고 이러한 정보 속에 빠져 나에게 필요한 핵심정보를 가려낼 수 없게 됩니다. 오히려 더 헷갈릴 뿐입니다. 그리고 흔히 말하는 사기꾼한테 당할 수도 있는거죠.

집을 살 때, 다른 사람에게 의존하는 이유

핵심원리를 모르면 늘 다른 사람에게 의존하게 됩니다. 내가 관심있는 단지의 입지를 제대로 분석하지 못하면 다른 사람에게 물어봐야 하며, 문제는 그 답변도 맞는 얘긴지 아닌지 판단할 수 있는 기준마저 없기 때문에 내가 어떤 내용을 수용하고 걸러야 하는지도 모를 수 밖에 없습니다. 게다가 말하는 사람마다 다 맞는 얘기갖고 귀가 얇아지는 경험을 하게 됩니다.

입지에 대한 평가를 제대로 할 수 없으니 당연히 가격에 대한 평가도 어렵습니다. 이게 싼가 비싼가를 평가해서 입지 가치보다 가격이 싸야 매수를 결정하는 것인데 판단을 제대로 할 수 없어서 늘 망설이게 되고 또 기회를 놓치기도 합니다. 지나봐야 그게 기회였다는 것을 알게 되죠. 그래서 부동산 투자나 내 집 마련이 어려운 것입니다.

입지에 대한 바른 이해, 부동산 의사결정력을 높입니다.

누구나 내 집 마련할 때에는 실거주를 생각하고 산다고 하지만 마음 속에는 내가 사고 나서 가격이 올랐으면 좋겠다고 생각할 것입니다. 가격이 떨어질 것이 분명하다면 집을 살 이유가 없겠죠. 문제는 어떤 특정 아파트가 오를지 떨어질지 아무도 모른다는 것입니다. 수 많은 회원들과 내 집 마련에 대한 상담을 하면서 '입지'에 대한 이야기를 함께 나누었는데, 본인의 상황에 맞는 입지를 찾는 방법을 잘 모를뿐더러, 입지에 대한 오해나 편견도 많이 갖고 있었습니다. 이런 오해나 편견은 부동산과 관련된 의사결정을 하는데 방해가 될 수 있습니다. 올바른 판단을 하는데 오류를 계속 일으키고, 선택을 계속 망설이게 만들기 때문입니다. 또한 경제활동 시기의 초반에 부동산과 관련된 '잘못된 선택'을 하는 경우, 나의 자산을 키워나가는데 큰 손실을 가져다주거나, 회복하는데 많은 시간이 걸릴 수 있음을 알아야 합니다.

'첫째도 입지, 둘째도 입지, 셋째도 입지'라는 말의 함정

입지는 부동산에서 분명히 중요한 요소이고, 그 중요성을 실제 이번 상승장에서 가격으로 증명하였습니다. 그러니 사람들이 항상 상급지로 가야한다고 얘기하는 것이죠. 하지만 문제가 있습니다. 누구나 인정하는 상급지로 나도 가고싶지만 그럴만한 자금이 현재 없다는 겁니다. 나를 경제적으로 밀어줄 부모도 없고, 소득이 높은 직업도 아니라면? 무조건 상급지로 가라는 말이 현실적으로 와닿지 않을 것입니다.

누구는 몰라서 강남 안가는게 아닙니다. 못가서 못가는 겁니다. 그렇다면 이런 경우는 어떻게 해야 할까요? 특히나 아직 경제활동을 오래하지 않은 2030 세대는 경제적 소외감을 느끼며, 상승하는 자산시장을 바라만 보아야 하냐고 푸념을 늘어놓기도 합니다. 하지만 이렇게 소득이나 자산이 작은 사람일수록 부동산으로 자산의 성장을 일궈내야 합니다. 소득을 늘릴 뾰족한 수가 없고 특별히 생각나는 다른 길이 없다면, 부동산이든 뭐든 시작해야 합니다. 그리고 내 부모가 돈과 관련된 문제를 해결하지 못했다면 어느 세대에는 자산의 성장을 폭발적으로 이뤄내야 합니다. 만약 내 세대에서 이걸 해내지 못하면 아마 나의 자녀도 나와 같은 막막함을 느끼게 될 것입니다.

그러니 포기하지 말고 '제대로 된 시작'을 하십시오.

부동산의 시작은 입지에 대한 이해에서 출발합니다. 입지가 무엇이며, 왜 중요하며, 부동산 입지를 볼 때에는 무엇을 중점적으로 봐야하는지. 그리고 이 때 가격은 어떤 식으로 반영되는지를 제대로 알아야 앞으로 부동산 투자나 내집 마련을 할 때, 리스크를 최대한 줄일 수 있습니다.

투자는 확률의 게임이라는 말 들어보셨습니까? 말 그대로 확률 싸움입니다. 미래가 어떻게 될지 모르니 적어도 위험한 리스크를 최대한 제거하고 나가야, 대응해나가면서 내 자산을 지켜나갈 수 있습니다. 적어도 하지말아야 하는 선택이나 실수를 예방하고 잃지않는 투자를 해 나간다면 점점 성장하는 자신을 발견하실 수 있을 겁니다.

이 책은 그러한 노하우를 전달해 드리기 위한 책입니다. 뻔한 내용은 덜어내고 핵심적인 내용만 간결하고 체계적으로 그리고 디테일하게 전달해 드리고자 합니다. 어디서도 볼 수 없었고 아무도 알려주지 않았던 부동산 투자와 내 집마련의 노하우, 알쓸경비 3부작을 다 읽고 나시면 그동안 부동산에 대한 답답했던 부분들이 사이다처럼 시원하게 해소되는 경험을 하게 되실 겁니다. 그럼 지금부터 1부를 시작하겠습니다.

알쓸경비 저자 ㅣ 리치래빗
The Rich_Rabbit

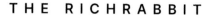

THE RICHRABBIT

✉ therichrabbit@naver.com
🗨 open.kakao.com/me/therichrabbit
📝 https://blog.naver.com/radiunt2
📷 https://instagram.com/the_richrabbit

(강연 및 협업 문의는 QR의 카카오톡 오픈채팅으로)

INDEX

1 | 입지란 무엇인가?

우리는 흔히 입지가 좋은 아파트를 사야 한다고 말합니다. 그렇다면 그 '입지'라는 것이 어떤 의미인지 정확하게 알아야 우리가 사고자 하는 아파트의 입지가 좋은지 나쁜지 평가할 수 있고, 나아가 투자에 있어서도 더 나은 수익을 거둘 수 있습니다.

입지에 대한 개념과 정의는 다양하지만, 그 중에서 영국의 '알프레드 마샬'이라는 경제학자의 이론을 통해 알아보겠습니다.

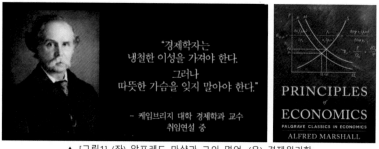

▲ [그림1] (좌) 알프레드 마샬과 그의 명언, (우) 경제원리학

알프레드 마샬은 미시경제학의 시초로 평가받는 인물로서 거시경제학의 아버지인 '케인즈'의 스승으로 알려져 있는 인물입니다. 마샬은 영국 케임브리지 대학교에서 경제학을 공부하였으며 우리가 흔히 아는 수요-공급 그래프를 그리는 방식이 바로 그의 이론에서 나온 것입니다. 마샬의 저서 중 가장 유명한 책이 바로 「경제학원리」인데, 여기에는 입지와 관련된 '지가 원리'라는 개념이 나옵니다.

"입지Location는 부지Site와 위치Situation로 구분하고
지가는 위치의 유용성에 대한 화폐가치의 총액이다."

그는 입지(Location)를 부지(Site)와 위치(Situation)로 구분하였고 그 중에서도 '위치'의 중요성을 강조하였습니다. 왜냐하면 그는 땅의 가치가 위치(Situation)에 따라 결정된다고 보았기 때문입니다. 그렇다면 위치가 유용한 곳일수록 비싸다는 뜻인데, 현재 우리가 알고 있는 입지의 개념과 매우 유사합니다.

입지라고 하면 보통은 우리가 발로 밟고 있는 장소인 부지(Site)를 떠올리기 쉽습니다. 하지만 부동산에서 '입지'라는 단어가 가지는 의미를 Site라는 단어만으로 표현하기에는 부족합니다. 그래서 함께 생각해보아야 할 단어가 바로 '위치(Situation)'이며, '여러 요소가 상호작용하는 공간'이라는 개념까지 확장하여 이해해야 합니다.

- 도시 중심지나 기타 경제활동을 할 수 있는 곳까지의 '거리'
- 그곳까지의 '접근성'
- 우리를 둘러싼 '공간이나 환경'
- 나아가 이를 포함하고 연결하는 모든 '네트워크'

1.1 부지Site의 연결을 통한 네트워크Network의 형성

이렇듯 위치(Situation)는 부지(Site)와 같이 어떤 한 지점이나

공간만을 말하는 것이 아니라 더 넓은 개념에서, '유용성 혹은 편리함과의 연결'까지 포함하는 개념입니다. 즉, 어떤 공간이나 지역이 가치를 갖기 위해서는 그 위치가 유익함과 편리함을 가져다 줄 수 있어야 한다는 것입니다.

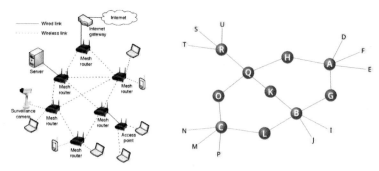

▲ [그림2] (좌) 메시 네트워크, (우) 매개중심성 네트워크 도식

Network라는 단어는 Net과 Work의 합성어로서, 그물을 짜는 행위를 말합니다. 이런 네트워크의 도식처럼 어떤 Site를 중심으로 그 주변의 편리함과 유익함을 그물망처럼 엮어내는 것. 그리고 이러한 연결을 통해 사람들의 삶에 유익함을 가져다주는 것. 그것이 바로 입지가 주는 가치입니다.

반포의 '래미안퍼스티지'를 예시로 살펴보겠습니다. 이 아파트의 입지가 좋다고 하는 이유는 이 아파트가 자리 잡은 위치 자체가 아니라 그 위치 주변에 자리 잡은 다양한 요소들과 근거리에서 연결되어 있기 때문입니다.

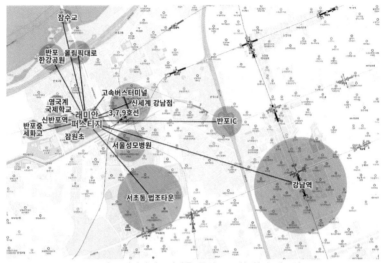

▲ [그림3] 래미안퍼스티지를 중심으로 한 입지 네트워크

삶의 가치를 높여주고 편의를 제공해주는 요소들이 가까이에 있고, 래미안 퍼스티지가 이러한 요소들을 그물망처럼 엮어내기 때문에 이 땅의 효용가치가 높은 것입니다.

1.2 가치와 편의의 연결성이 곧 입지의 가치

과거 농경사회에서 위치의 가치는 '농산물의 생산량'과 직결되었습니다. 작물을 심었을 때 수확량이 많을수록 좋은 위치였죠. 그래서 고대 사람들은 농작물이 잘 자라는 지역을 찾아 움직였으며, 그러한 곳을 찾았을 때 정착하여 생활하였습니다. 생산량이 높은 논과 밭이 곧 가치였으며, 그 논과 밭 가까이에 생활하는 것이 '편의'인 시대였습니다. 따라서 농경사회에서의 좋은 입지는 강을 끼고 있는 비옥한 토지 주변이며 역사적으로 세계 문

15

명의 발상지 역시 공통적으로 강을 끼고 있습니다.

▲ [그림4] (좌)세계4대 문명의 발상지,
(우)1868년, 독일 켐니츠의 작센 마시넨파브리크 공장의 모습

하지만 산업사회에서의 가치와 편의는 달랐습니다. 산업사회에서는 경제활동을 위한 접근성과 네트워크가 토지의 가치를 결정하게 됩니다. 제품을 생산하기 위해서는 원료를 가져와야 하고 자본을 끌어올 수 있어야 하며 노동력 역시 필요합니다. 이러한 자원과 노동력을 근거리에서 연결할 수 있는 위치가 중요한데, 생산한 상품을 판매까지 해야하니 시장과의 접근성까지 생각해야 했습니다. 그래서 사람들은 공업적 기능과 상업적 기능이 중첩되는 '도시'로 점점 몰리게 되었고, 도시화 역시 급격히 진행되었습니다.

현대사회는 기존의 가치를 연결해 새로운 가치를 계속 창출해낼 것을 요구합니다. 대중들은 새롭고 다양한 가치를 원하며 이런 것을 근거리에서 극도의 편리함으로 제공되기를 원합니다. 과거에 비해 훨씬 더 바빠진 현대인에게는 시간이 곧 생산성이며 모든 상품과 편의까지 도달하는데 걸리는 시간을 최대한 줄이고자 합니다. 즉, 근거리 연결성 그리고 다양한 가치와 편의를 촘촘하게 연결시켜주는 네트워크. 현대에는 이 두 가지 요소를 동시에 제공할 수 있는 입지가 주목받고 있습니다.

　이렇듯 시대가 흘러감에 따라 사람들이 중요시하는 가치와 편의의 초점은 달라졌지만 사람들은 계속해서 좋은 입지를 찾아 움직였습니다. 그렇다면 산업이나 사회가 더 발달하더라도 입지는 사람들의 삶에서 여전히 중요한 요소일 것이며, 사람들이 더 좋은 입지를 차지하기 위한 경쟁도 여전할 것입니다. 오히려 그러한 입지를 차지하기 위해 더 치열해지지 않을까 싶습니다.

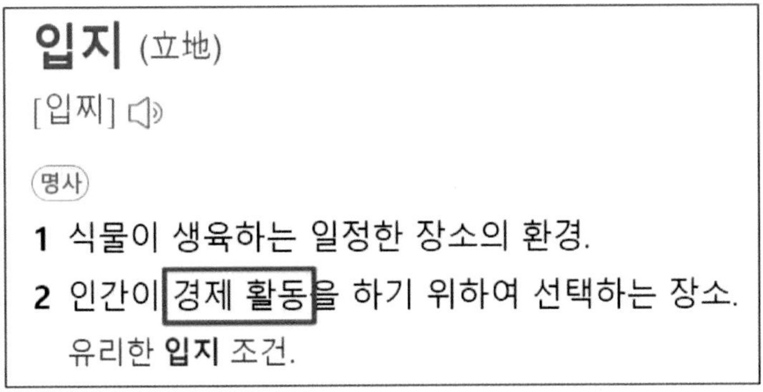

입지 (立地)

[입찌] ◁))

(명사)

1 식물이 생육하는 일정한 장소의 환경.

2 인간이 경제 활동을 하기 위하여 선택하는 장소.
유리한 **입지** 조건.

▲ [그림3-1] 입지의 사전적 정의

　사전적 정의를 확인해보면 입지란 인간이 '경제 활동'을 하기 위하여 선택하는 장소를 말합니다. 즉, 경제활동을 위해 선택하는 곳을 입지라고 하는데 농경사회에서는 농사가 잘되는 곳, 공업사회에서는 생산과 판매가 편리하고 효율적인 곳을 말하였습니다. 지금은 시간의 가치와 생산성을 극대화해줄 수 있는 곳입니다. 즉, 좋은 입지는 경제적 풍요와 직접적으로 연결되어 있으며, 사람들은 자신의 경제적 이득을 위해 계속해서 좋은 입지를 찾아 이동합니다. 우리가 사업이나 가게를 할 때는 물론이고, 나의 가장 큰 자산인 '내 집'을 마련할 때에도 이러한 입지 개념을 중요하게 생각할 수 밖에 없습니다.

"사람들이 중요하다고 생각하는 편의성 혹은 가치가 무엇인지 잘 알고, 이를 근거리로 연결시켜줄 수 있는 위치를 찾아낼 수 있어야 합니다."

사람들은 실거주할 집을 찾는다고 하면서도 내심 가격이 오를 만한 집을 찾습니다. 이때 집값이 오르는 이유는 땅의 가치가 오르기 때문인데, 그 땅의 가치는 당연히 입지와 직접적인 관련이 있습니다. 그러므로 내가 부동산 투자를 통해 수익을 남기고 싶다면? 입지를 바르게 그리고 입체적으로 이해해야 합니다.

2 | 현대인이 중시하는 입지요소

당신이 부동산 투자를 생각한다면? 거주의 편의성이나 가치를 고려할 때 '현대인들이 무엇을 가장 중요시하는가'를 잘 이해해야 합니다. 왜냐하면 그러한 요소들이 아파트의 가격을 좌우할 것이기 때문입니다. '편의성과 가치를 얼마나 근거리로 연결할 수 있는지'를 기준으로 현대인이 중시하는 입지 요소를 차례대로 살펴보겠습니다.

2.1 직주근접의 의미

먼저 '입지'의 개념으로 먼저 돌아가서 살펴보자면, 입지는 '경제활동'을 위해 선택하는 장소입니다. 그렇다면 내가 거주하는 공간에서 경제활동을 하는 경우가 아니라면 다른 공간으로 경제활동을 하러 이동해야 합니다. 출근을 해야 하죠. 실제로 우리나라의 근로자 중 대부분은 임금근로자이며 자영업자 대비 4배나 많은 비율을 차지하고 있습니다. 그렇다면 직장까지의 거리가 짧으면 짧을수록 편의성과 가치가 더 높다고 볼 수 있습니다. 직장까지의 거리가 가까울수록 아침에 조금이라도 더 잘 수 있고, 이동하는데 시간이 더 적게 들고, 출퇴근 하는데도 힘이 덜 드니 당연히 편의성이 커집니다.

(단위: 천명)

2) 종사상지위별	2023.04
계	28,432
비임금근로자	6,638
*자영업자	5,715
-고용원이 있는 자영업자	1,417
-고용원이 없는 자영업자	4,298
-무급가족종사자	924
임금근로자	21,794
-상용근로자	16,105
-임시근로자	4,615
-일용근로자	1,074

▲ [그림6] 종사상지위별 취업자 현황(KOSIS)

　부동산에서는 이것을 네 글자로 '직주근접'이라고 하며, 양질의 일자리가 있는 곳과 물리적으로 가까울수록 시세가 높습니다.

2.2 물리적 거리를 좁혀주는 대안

　하지만 문제는, 모두가 양질의 일자리가 모여있는 지역에 살 수는 없습니다. 그런 지역의 입지일수록 수요가 몰리고 공급은 한정되어 있기 때문에 가격이 비쌉니다. 그래서 사람들은 어쩔 수 없이 주요 일자리 지역에서 점점 더 먼 곳으로 밀려날 수 밖에 없습니다. 멀어지면 멀어질수록 편의성이 떨어지지만 상대적으로 더 적은 자금으로 거주를 해결할 수 있기 때문입니다. 하지만 출퇴근 시간이 길어지고 시간이라는 가치를 더 많이 소모할 수 밖에 없죠.

  이러한 편의성의 한계와 시간 소모를 줄여주는 것이 있습니다. 바로 '교통'입니다. 거리가 멀리 떨어져 있더라도 좋은 교통망은 그곳까지 도착하는데 걸리는 시간을 획기적으로 줄여줍니다. 물리적으로 멀리 떨어져 있는 편의성과 가치를 교통망이 근거리로 연결시켜 줍니다. 그래서 '수도권에서는 역세권을 사야한다'는 말을 자주 듣게 되는데 특히나 차량 교통량이 많아 정체가 심한 수도권에서는 정시성을 담보할 수 있는 지하철 역세권의 선호도가 높습니다.

▲ [그림7] 교통호재가 풍부한 인덕원역 인근의 아파트

2.3 맹모'양천'지교의 나라

  우리나라는 세계 어느 국가보다 교육열이 강한 나라이며, 과거에는 '개천에서 용난다'는 말도 있었습니다. 주어진 환경은 열악

21

하지만 위대한 사람으로 성장하는 사례를 빗대어 표현한 말로써 자수성가를 이루었을 때 주로 쓰는 표현이었습니다. 그 대표적인 사례가 사법고시였습니다. 출신을 극복할 수 있는 대안이 7,80년 대에는 이러한 고시였고 실제로 우리나라에는 고졸 출신으로 사법고시를 패스하고 대통령까지 올라간 사례도 있었습니다. 우리 나라의 부와 지위는 상속되는 구조임을 생각해볼 때, 최근에는 의미가 옅어진 말이 되었지만 과거에는 공부를 통해 지위 향상 의 길이 열리기도 했었습니다.

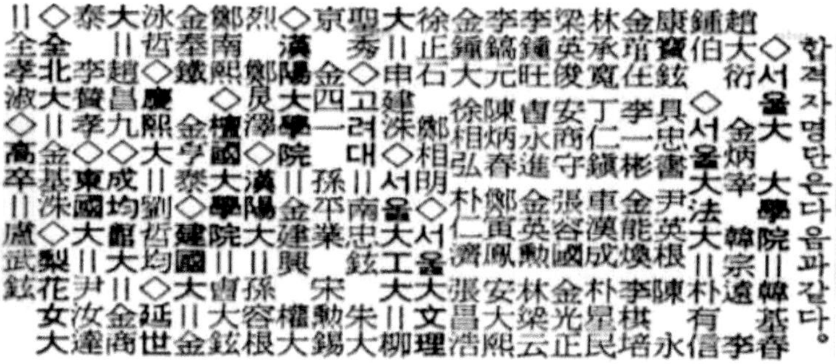

▲ [그림8] 고 노무현 전 대통령 사법시험 합격 기사

2022년 기준 초중고 사교육비 총액이 26조원에 달한다고 합니 다. 이렇게 사교육의 열기가 강한 것을 보면 여전히 나의 자녀가 새롭게 용이 되었으면 하는 심리가 사회 전체적으로 내재되어 있음을 알 수 있습니다. 그래서 학생 자녀가 있는 가정이라면 '학군'이라는 것을 신경쓰지 않을 수 없습니다. 개천용이라는 말 보다 수저론(흙수저, 금수저)이 더 익숙한 요즘 세대이지만 여전 히 공부를 통해 더 좋은 미래를 보장받기를 바라는 부모세대의

마음은 예나 지금이나 바뀌지 않았습니다. 그리고 더 좋은 교육 환경에서 아이를 키우고 교육시키고 싶은 마음은 동서고금을 막론하고 통용되는 가치라고 볼 수 있습니다. 그래서 맹모'양천'지교[1]라는 말까지 생겨난 게 아닌가 싶습니다.

2.4 스세권, 맥세권, 슬세권 이제는 쿠세권

스세권, 맥세권이라는 말을 들어보셨나요? 지하철역을 중심으로 하는 그 주변지역 및 환경을 뜻하는 말로 '역세권'이라는 말을 많이 쓰는데, 여기서 파생된 단어들입니다. 스세권은 스타벅스, 맥세권은 맥도날드를 중심으로 그 주변 지역을 표현할 때 쓰는 말입니다.

이런 단어들이 생겨난 것을 보면 그만큼 사람들이 좋은 상품과 서비스를 근거리에서 누리고자 하는 것을 알 수 있습니다. 그래서 사람들은 편의시설이나 상권이 가까운 것을 선호합니다. 일상적으로 가야하는 마트나 병원, 세탁소, 미용실, 식당 등 다양한 생활편의시설이 가까우면 가까울수록 편의성은 극대화됩니다. 슬세권을 말합니다. 그래서 사람들은 이러한 생활편의시설이 잘 갖춰진 곳에서 가까운 입지를 선호합니다.

---

1) 맹자의 어머니가 맹자의 교육을 위해 세 번이나 이사를 했다는 맹모삼천지교에서 유래한 말로, 학군지로 유명한 목동이 '양천'구에 있기 때문에 이러한 말이 생김.

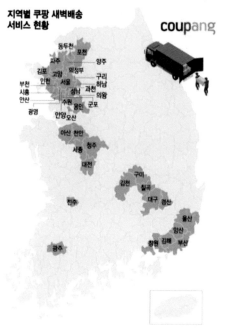

▲ [그림9] 쿠팡 새벽배송 서비스 현황

한편, 거주공간과 생활편의시설 간의 물리적 거리를 줄이고자 하는 움직임도 동시에 나타나고 있습니다. 구독 서비스나 쿠팡 새벽배송과 같은 것을 보면 촘촘한 물류망을 이용해 다양한 재화와 서비스를 편리하게 제공하는 네트워크가 도입된 것이죠. 이제는 마트나 세탁소를 가지 않아도 door to door로 우리집 현관에서 서비스를 받아 볼 수 있습니다. 하지만 이러한 구독서비스나 새벽배송도 가능한 지역과 불가능한 지역이 나뉜다는 점에서 입지의 한계를 벗어나지 못하고 있음을 알 수 있습니다. 쿠세권과 쿠세권이 아닌 곳으로 그 입지가 구분되는 것이죠.

2.5 도시화가 집중될수록 더 필요한 자연환경

앞에서 본 4가지 입지 요소들은 모두 도시화와 관련이 깊습니다. 일자리, 교통, 학교, 학원, 상권 모두 도시에 모여있기 때문에 도시화, 중심화가 이뤄진 곳일수록 더 발달합니다. 하지만 도시화가 강해지고 도시기능이 집중될수록 사람들은 쾌적한 환경을 갈망합니다. 심신을 회복하고 마음을 정화 시킬 수 있는 공간으로서 자연환경을 필요로 하는데, 가장 대표적인 곳이 서울의 한강입니다. 서울의 도심 속에서 한강만큼 시야가 넓게 트이는 곳이 또 있을까 싶습니다.

강북의 마용성광[2], 강남의 강남3구. 모두 서울 내 가격 비싸기로 손꼽히는 지역들입니다. 공통점은 바로 한강을 끼고 있다는 겁니다. 한강이 서울 시민의 휴식처로서 굳건하게 자리매김을 해나갈수록 이러한 한강을 끼고 있는 지역의 입지적 가치도 높아질 수 밖에 없습니다. 도심의 화려한 아파트에 살고 싶으면서도 창밖으로는 눈이 편안해지는 자연환경을 보고 싶어하는 것은 인지상정이며, 이러한 자연환경이 도시의 화려함과 어울릴 때 그 가치는 극대화됩니다. 그리고 집에서 가까운 공원이나 강가로 나가 상쾌한(?) 공기를 마시며 산책할 수 있다면, 그것 자체로도 삶의 또 다른 가치로 느껴질 것입니다.

---

2) 마포구, 용산구, 성동구, 광진구. 한강 북쪽에 인접한 4개 구를 서쪽부터 차례로 나열.

▲ [그림10] (좌) 한강 전경, (우) 광교호수공원 전경

굳이 한강이 아니더라도 사람들은 산, 공원, 저수지, 호수 등 시각적으로 편안함을 주면서 여가를 즐길 수 있는 공간을 선호합니다. 경기도에서 예를 찾자면 광교호수를 꼽을 수 있습니다. 광교신도시의 심장이라 할 수 있는 광교호수는 원천호수와 신대호수로 이루어져 있는데, 도심이 이 두 호수를 둘러싸고 있습니다.

광교호수는 시민들의 안식처가 되어주고 멋진 경관을 만들어주었으며, 주변의 건물들은 이러한 호수의 후광을 등에 업고 그 지역의 랜드마크가 되었습니다. 결국 광교는 호수를 끼고 있음으로서 세련된 건물과 아름다운 자연이 조화된 신도시로 완성된 것입니다. 광교에 이런 호수가 없었다면 어땠을까요? 많이 아쉬웠을 겁니다. 그래서 늘 신도시에는 이런 저수지나 호수가 화룡점정으로 들어가는 것 같습니다.

2.6 부동산에 가장 큰 영향을 끼치는 5대 입지요소

위에서 설명했듯이 위의 5가지 요소가 부동산 가격에 가장 직접적인 영향을 끼치는 입지요소입니다. 요즘 사람들이 중요하게 생각하는 가치나 편의성 그리고 그곳과의 인접성이 중요하며, 인접한 거리의 입지가 아니라면 물리적인 거리를 줄여줄 수 있는 연결성이 포인트라고 할 수 있습니다. 정리하자면 아래와 같습니다.

- 경제활동을 위한 양질의 **일자리**
- 물리적 거리의 한계를 극복하게 해주는 **교통**
- 12년간의 고정적 수요인 **학군**
- 생활 편의성을 높이는 **상권 및 편의시설**(인프라)
- 삶의 쾌적성을 높이는 **자연환경**

입지가 부동산에서 중요하다고 한다면 당연히 우리는 위에서 언급한 5가지 요소가 가장 우수한 입지를 고르거나 혹은 위의 5가지 부문의 요소가 개선될 수 있는, 진보할 수 있는 입지를 고르는 것이 중요합니다.

3 | 입지요소#01

먹고사니즘과 양질의 일자리

모든 인간은 먹고 사는 문제로부터 자유로울 수 없으며 '일'이라는 것을 통해 그 문제를 해결하면서 살고 있습니다. 고대에서부터 지금까지 우리 인류는 그렇게 살아왔습니다. 구석기 시대에는 동굴과 움막에 살면서 가까이에 있는 동물을 잡거나 자연에서 자라난 열매 등을 채집하였고, 신석기 시대에는 농사를 짓기 시작하면서 곡식을 수확하였습니다.

▲ [그림11] 신석기 시대의 좋은 입지

고대부터 모든 인간은 일을 통해 먹을 것을 마련했고 수렵, 채집, 농사 등 모든 일련의 '일'은 그들이 사는 곳 가까이에서 해결해 왔습니다. 신석기 시대 때 정착 생활을 시작한 것도 농사라는 '일'을 하기 위해서였으며, 특히 비옥한 땅 가까이에 농사를 짓고 살아야 많은 곡식을 수확할 수 있었습니다. 그래서 그 당시에는 강 가까운 곳의 비옥한 토지가 그들의 일자리였고 그 주변의 터가 그들에게는 가장 좋은 입지였을 겁니다.

현대 사회에서도 똑같습니다. 하는 일이 그때보다 훨씬 더 세련되고 더 세분화된 일을 하며 사는 것 뿐이지 '일'을 하며 사는 것은 똑같습니다. 과거보다 훨씬 더 많은 일들을 하게 된 것과 그 많은 일들을 '직업'이라 부르고 이름을 각각 붙여준 것이 다를 뿐입니다. 예나 지금이나 사람들은 일을 통해 이른바 '먹고사니즘'을 해결하고 있습니다.

▲ [그림12] (좌)「요즘 것들의 사생활 : 먹고사니즘」,
(우) 먹고사니즘 유형 테스트

현대사회는 먹고 살기 위해서 일을 해야 하며 출근을 해야 합니다. 그 일과 출근이 얼마나 힘들면 '먹고사니즘'이라는 단어까지 나왔나 싶기도 하고, 누군가는 일 자체보다 출퇴근 길을 오가는게 더 힘들다 말하기도 합니다. 그렇다면 선택이 아닌 생존을 위해 일을 하는 우리에게 가장 중요한 입지요소는, 바로 '양질의 일자리가 얼마나 가까이에 있는가'입니다. 여기서 말하는 양질의 일자리란, 일반적으로 고소득 직장을 말합니다.

> "그렇다면 일자리 측면에서 가장 좋은 입지는
> 고소득 직장이 모여있고,
> 그 직장에서 가까운 곳이라고 할 수 있습니다."

서울을 중심으로 좋은 일자리 지역을 살펴보겠습니다. 요즘은 프롭테크를 통해서 손쉽게 확인할 수 있습니다. 객관적인 데이터를 바탕으로 수치를 나타내 주며, 시각적으로도 알아보기 쉽게 표현해줍니다.

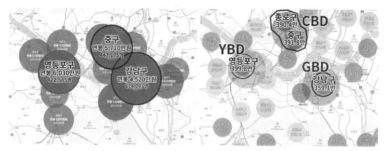

▲ [그림13] (좌) 호갱노노_직장인 연봉탭, (우) 부동산지인_지역월평균소득 탭

위의 그림을 보면 호갱노노에서 유독 크게 그려진 구를 볼 수 있는데 이곳은 서울의 3대 업무지구인 CBD, YBD, GBD라고 하는 곳입니다. 자세히 알아보겠습니다.

3.1 사대문 안 CBD 중심업무지구

: Central Business District

CBD는 대표적으로 종로구와 중구를 포함하는 서울의 전통적 중심업무지구를 말합니다. 조선시대 때부터 사대문 안쪽에 있었으며 오랫동안 수도 서울의 '상업기능의 중심지'역할을 해왔습니다. 그래서 대기업 본사와 외국계 기업, 주요 은행 본사나 언론사들이 많이 위치하고 있으며 특히 광화문, 종각역, 을지로 주변에 이러한 시설들이 집중되어 있습니다.

▲ [그림14] (좌) 1930년대 조선총독부와 광화문, (우) 현재의 광화문

뿐만 아니라 대사관, 시청, 청와대, 외교부 등 우리나라의 주요 기관들도 밀집한 곳인만큼 오랜 기간동안 경제 뿐만 아니라 정치, 사회, 문화적으로도 중심축이었습니다. 특히 그 중에서도 광화문은 행정의 중심지로서 역할을 해 왔는데 한국입법의 상징이 여의도인 것처럼, 이곳은 행정부의 상징처럼 여겨졌습니다.

과거 6.25전쟁 이후 환도하면서, 현재 서울시의회 본관인 부민관을 국회의사당으로 사용한 적이 있었습니다. 당시 경기도청도 경복궁 길 건너에 있었죠. 하지만 오랜시간을 거치며 정치 및 행정 기관들은 여러 지역으로 분산되었고, 현재는 문화적, 외교적,

경제적 랜드마크로 탈바꿈하고 있습니다. 특히 외교부가 광화문 일대에 있어 미국, 일본, 호주, 핀란드, 멕시코 등 각 나라의 대사관들이 광화문광장 인근에 많이 모여있고 SK, 한화, 신세계, CJ, 한진, 두산 등 우리나라의 대표 기업들도 많이 있죠.

 하지만 이곳은 형성된 지 오래된 도심이기 때문에 YBD나 GBD에 비해 낙후된 지역이 많고 상품성이 갖춰진 신축 아파트를 찾기 어렵습니다. 그리고 사대문 안쪽을 살펴볼 때 아래쪽은 남산, 북쪽으로는 경복궁과 종묘와 같은 문화재가 넓게 자리 잡고 있어 다른 지역 대비 주거지의 면적이 좁습니다. 강남과 같이 계획하여 만든 도시의 형태가 아니기 때문에 대단지 아파트나 넓고 곧은 도로를 찾아보기 어려운 점도 주거지로서는 아쉬운 점입니다.

3.2 고소득 직장의 요람 YBD 여의도지구

: Yeouido Business District

 여의도는 1916년 일제 강점기 때 간이 비행장을 건설하면서 그 역사가 시작되었습니다. 이곳 여의도 비행장은 장마철마다 자주 침수되어 대한민국 공군은 늘 김포 비행장과 여의도를 오가며 운영했었습니다. 그러다 1958년 여객 업무는 김포국제공항으로 이관되었고 공군기지는 1971년까지 남아 있다가 현재 서울공항(경기도 성남시)으로 이전되었으며, 여의도 비행장은 폐쇄되었습니다. 이때부터 여의도를 중심으로 간척사업이 시작되었고, 1970년대 김현옥 서울시장이 신시가지 개발목적으로 여의도 개발을 추진하게 됩니다.

▲ [그림15] (좌) 1960년대의 여의도, (우) 현재의 여의도

여의도는 대표적인 고연봉 직장인 금융권이 밀집한 곳이며 전통적으로 방송업계도 함께 있던 곳입니다. 하지만 2004년 SBS의 목동 이전을 시작으로 방송업계가 KBS를 제외하고 대부분 상암으로 이전하여, 현재는 국내 최대 금융가로 입지를 굳혀가고 있습니다.

▲ [그림16] 서여의도와 동여의도

여의도는 여의도 공원을 기준으로 서여의도와 동여의도로 나닙니다. 서쪽에는 국회를 비롯한 정치 관련 기관이 있으며 가장 대표적인 건물은 국회의사당입니다. 대한민국 정치의 중심지인 이곳은 옛날 국회의원들이 주변의 미관을 고려해 해당 지역에 고

도제한을 지정했습니다. 그래서 국회의사당 주변을 포함한 서여의도에는 건물들의 높이가 상대적으로 높지 않습니다. 대림, 삼환, 현대카드와 같은 대기업 빌딩도 그렇게 층수가 높지 않고 소규모 빌딩과 오피스텔이 주로 자리잡고 있습니다.

반면 동여의도는 고층빌딩과 아파트단지, 상업시설들이 많으며, 우리나라 증권업을 대표하는 곳이라고 할 수 있습니다. 1979년 명동에 있던 한국증권거래소가 이곳으로 이전한 이후, 증권거래소를 따라 금융이나 증권 관련 업계가 모여들면서 여의도는 '한국의 월스트리트'가 된 거죠.

이 지역의 평균 연봉은 광화문에는 소폭 못 미치고 을지로보다는 높다는 평가를 받고 있습니다. 하지만 연봉 상위 업체 대부분이 금융/증권 관련 업체들로서 규모는 작아도 소득이 높은 편입니다. 그리고 여의도 지구를 넓게 보자면 영등포구에 위치한 지역들도 포함될 수 있는데 샛강을 넘어 영등포구 일부지역까지 포함한다면 연봉 상위기업과 하위 기업의 격차가 매우 크게 나타날 수 있습니다.

3.3 고유명사가 된 강남 GBD 강남지구

: Gangnam Business District

어떤 지역에 부자가 많고 가장 집값이 비싸며 학군이 가장 좋은 지역을 '○○의 강남'이라고 표현할 정도로 강남은 최상위 입지를 나타내는 고유명사로 자리앉았습니다. 그만큼 강남은 우리나라 부촌의 상징이며 사대문 안, 여의도와 함께 서울 3대 도심 중 하나로서손꼽히는 곳입니다.(업무지구로서 강남은 강남대로와 강남역 일대를 말합니다.)

강남의 산업구조적 측면을 보자면 강남 내에는 공업지구가 없습니다. 개발 당시 공업용지를 허용하지 않았으며 굴뚝없는 산업조차 허용하지 않았죠. 이러한 영향으로 현재는 강남역을 중심으로 다양한 대기업 본사들이 자리를 잡고 있으며, 그 주변으로는 이들과 거래하는 금융기관들이 대부분입니다.

하지만 강남지구는 3대 업무지구 중 평균 연봉이 다소 낮은 편입니다. 광화문, 여의도는 직장 수가 적은 대신 고연봉 직장이 밀집되어 있는데 반해 강남은 삼성, 현대차, GS 등 일부 대기업 본사나 계열사를 제외하면 대다수가 중소 혹은 중견기업들이기 때문입니다.

강남 업무지구에서 절대 빼 놓을 수 없는 곳이 바로 테헤란로입니다. 이곳은 강남이 처음 개발되었을 때, 금융사들로 채워진 곳이었습니다. 하지만 IMF여파로 인해 많은 금융사들이 떠났고 그 이후로는 '테헤란 밸리'라고 부를 정도로 IT기업이 많이 모여들었습니다. 2009년 국제금융위기 전까지는 최고의 전성기를 누리다가 닷컴버블의 붕괴 및 IT기업들의 판교/가산으로의 이전 등으로 인해 IT기업들이 많이 빠져나갔고, 현재는 GS나 포스코, 한국타이어, 메리츠화재, KB손보 등 대기업들이 자리 잡고 있습니다.

▲ [그림17] (좌) 테헤란로(강남역~삼성역) (중) 강남의 테헤란로,
(우) 이란의 서울로(세이울)

하지만 위에서 언급한대로 고연봉 대기업 직장의 밀집도에 있어서는 광화문이나 여의도에 비해 떨어집니다. 반면 중소규모의 병원들의 밀집도는 높은 편이죠. 그래서 GBD는 특정 업종이 주도적으로 이끄는 형태라기보다 다양한 중소규모의 병원이나 전문직 사업체들이 개별적으로 움직이는 모습을 보이고 있습니다.

또한 강남역 인근은 아니지만 서초동에는 서울지방법원과 대법원이 있습니다. 대법원과 강남역 사이를 이어주는 길이 서초대로인데 이곳에는 많은 법률사무소 및 로펌이 있습니다. 국내 5대 로펌 중 '화우' 역시 강남에 있죠. (나머지 로펌인 김앤장, 태평양, 광장, 세종은 사대문에 있습니다.) 의사 만큼이나 변호사 역시 고소득 직업군임을 생각해본다면 강남의 고소득 원천은 대기업에 집중되어 있다기보다는 다양한 전문직 종사자들에게 있다고 볼 수 있습니다.

3.4 양질의 일자리와 소득수준,
그리고 아파트 가격 간의 관계

 상식적으로 생각해 본다면, 양질의 일자리가 많은 지역에서 일하는 사람일수록 소득수준이 높을 것입니다. 그리고 양질의 일자리가 많은 지역일수록 아파트 가격도 이에 비례해 높을 것입니다. 연봉이 높을수록 지불능력도 높을 것이기 때문입니다. 실제로 이러한 내용이 맞는지 검증해 보기 위해 아래 자료를 가공하여 살펴보겠습니다.

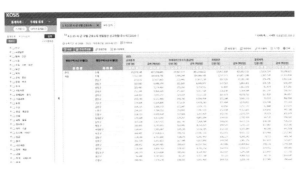

▲ [그림18] KOSIS, 시·군·구별 근로소득 연말정산 신고현황(주소지)

 KOSIS(국가통계포털)의 자료 중 '시·군·구별 근로소득 연말정산 신고현황(2021년 기준)'은 각 구별 급여수준을 확인할 수 있는 자료입니다. 해당 신고현황은 원천징수지 기준과 거주지 기준으로 나눠서 볼 수 있는데 이 둘을 비교하여 살펴보겠습니다.
 여기서 '원천징수지' 기준은 근무하는 회사의 주소지를 기준으로 할 때의 소득수준을, '주소지' 기준은 근로자의 거주지를 기준으로 할 때 소득수준을 나타내는 지표입니다.

- **(원천징수지 기준)** 어느 지역의 회사에서 연봉을 더 많이 주는가?
- **(주소지 기준)** 어느 지역에 사는 사람이 연봉을 더 많이 받는가?

순위	행정구역(시군구)	4.2.14 시·군·구별 근로소득 연말정산 신고현황(원천징수지, 2021년 기준)		
		급여총계		
		인원 (명)	금액 (백만원)	1인당 평균급여(만원)
1	경기수원시	481,717	30,733,599	63,800,113
2	인천동구	36,140	2,173,982	60,154,455
3	경기이천시	105,755	6,189,894	58,530,509
4	서울종로구	377,928	21,557,942	57,042,458
5	서울영등포구	568,633	32,001,269	56,277,545
6	서울중구	517,280	28,419,235	54,939,752
7	경기성남시	485,311	23,619,456	48,668,701
8	서울강남구	955,939	45,807,519	47,918,872
9	서울서초구	496,861	23,785,353	47,871,242
10	서울용산구	439,799	20,816,203	47,331,174
11	경기과천시	46,480	2,123,723	45,691,114
12	서울소계	6,063,015	271,478,147	44,776,097
13	경기용인시	348,521	15,470,259	44,388,312
14	경기화성시	450,064	19,040,299	42,305,759
15	인천연수구	121,682	5,126,259	42,128,326
16	서울서대문구	91,582	3,850,465	42,043,906
17	서울강동구	123,225	5,096,516	41,359,432
18	경기소계	4,676,226	192,051,484	41,069,761
19	서울강서구	288,103	11,693,281	40,587,155
20	경기광명시	80,081	3,215,020	40,147,101

▲ [그림19] 1인당 평균급여(원천징수지)

위의 표(원천징수지 기준)를 먼저 살펴보겠습니다. 순위가 높을수록 양질의 일자리가 많은 지역 혹은 연봉 높은 회사가 많은 지역이라고 이해하시면 됩니다. 수도권에서 평균적으로 가장 많은 급여를 주는 1위 지역은 수원이며 3위는 이천입니다. 두 지역의 공통점은 반도체의 중심지로서 삼성과 SK의 영향이 큰 지역입니다. 이에 비해, 앞에서 설명한 우리나라의 주요 업무지구(종로구, 중구, 영등포구, 강남구, 서초구 등)의 평균 급여액은 생각보다 많이 높지는 않습니다. 특히 강남구와 서초구가 8위와

9위이며, 강남구를 기준으로 할 때 21년 평균 연봉이 4,800만원 정도 됩니다. 실제로 우리나라에서 가장 아파트 가격이 비싼 지역은 강남이라고 인식되고 있는 상식과는 대비되는 결과입니다.

강남은 대기업도 많지만 전문직, 중소기업부터 해서 중견기업까지 다양한 소득수준의 직장이 뒤섞여 있기 때문에, 인원도 많고 소득 편차도 크다고 볼 수 있습니다. 또한 강남3구 중에서 송파구는 25위에 랭크되었는데, 송파구에는 삼성SDS와 롯데의 몇몇 본사 외에는 대부분 주거지로 구성되어 있기 때문에 이러한 결과가 나왔다고 볼 수 있으며, 2위인 인천 동구는 상대적으로 협소한 지역에 현대제철 본사가 있다보니 평균의 함정으로서 상위권에 랭크되었습니다.

순위	행정구역(시군구)	급여총계		1인당 평균급여(만원)
		인원 (명)	금액 (백만원)	
1	서울강남구	215,632	17,477,665	81,053,206
2	서울서초구	169,405	13,638,923	80,510,746
3	서울용산구	96,680	6,747,813	69,795,335
4	경기과천시	33,333	2,164,656	64,940,329
5	서울송파구	288,952	16,095,685	55,703,664
6	경기성남시	396,721	21,530,640	54,271,491
7	서울성동구	118,248	6,207,800	52,498,140
8	서울종로구	54,388	2,840,850	52,233,029
9	서울마포구	160,890	8,245,601	51,249,929
10	경기용인시	441,437	22,290,185	50,494,601
11	서울중구	49,447	2,447,593	49,499,323
12	서울양천구	178,304	8,806,702	49,391,500
13	경기화성시	419,662	20,573,468	49,023,900
14	대구수성구	141,613	6,913,306	48,818,301
15	대전유성구	151,086	7,235,280	47,888,487
16	울산남구	121,690	5,793,248	47,606,607
17	세종소계	165,244	7,855,026	47,535,923
18	인천연수구	165,729	7,877,372	47,531,645
19	서울영등포구	180,393	8,559,698	47,450,278
20	울산북구	90,620	4,274,972	47,174,708

4.2.15 시·군·구별 근로소득 연말정산 신고현황 (주소지, 2021년 기준)

▲ [그림19-1] 1인당 평균급여(주소지), 2021년 기준

우측 표(주소지 기준)을 살펴보겠습니다. 순위가 높을수록 해당 지역에 거주하는 사람의 연봉이 높다고 해석할 수 있으며, 돈 많은 사람들이 어디 사는지를 알 수 있는 지표라고 볼 수 있습니다. 1,2,5위 모두 강남 3구가 차지했습니다. 1~5위에 해당하는 지역을 보면 강남 3구 외에는 용산과 과천입니다. 모두 주택가격이 높은 지역입니다. 그리고 1인당 평균 급여를 보시면 강남구 기준 8,000만원 정도 됩니다. 앞에서 보셨던 원천징수지 기준보다 확연히 높은 것을 알 수 있습니다. 특이한 점은 YBD가 있는 영등포구의 주소지 기준 평균 급여가 낮다(19위)는 점인데, 이는 영등포구에서 여의도와 비여의도와의 소득격차가 심하기 때문입니다.

> "양질의 일자리가 많은 지역과
> 고소득자가 모여사는 지역은 다를 수 있습니다."

양질의 일자리가 많은 지역에 고소득자가 많이 모여 산다고 한다면 원천징수지 기준과 주소지의 소득수준을 비교했을 때, 순위 배열이 비슷해야 합니다. 하지만 실제로 살펴보면 그렇지 않다는 것을 확인할 수 있습니다. 어떤 업무지구에는 고소득자가 많이 살지만 어떤 업무지구에는 고소득자가 많이 살고 있지 않습니다. 이러한 결과가 나오는 이유는 지역의 지리적 특성과 도시구조 때문입니다.

3.5 지리적 특성과 도시구조에 따른 아파트 가격 분포

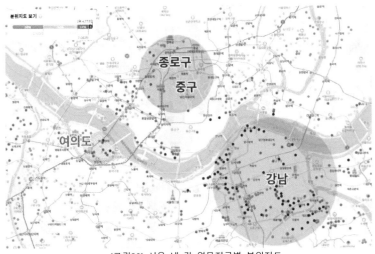

▲ [그림20] 서울 내 각 업무지구별 분위지도

서울 3대 업무지구의 아파트에 대해 알아보겠습니다. 먼저 CBD에 해당하는 중구와 종로구에는 고소득자가 선호하는 상품성이 높은 아파트가 많지 않습니다. 아파트 자체가 많이 없을뿐더러 대단지 브랜드 신축은 더더욱 없습니다. 역사적으로 오래된 사대문 안쪽의 구도심이기 때문입니다. 그나마 돈의문뉴타운 1구역을 재개발한 '경희궁자이'가 유일한 신축입니다. 결국 CBD 내에서는 선택의 폭이 좁기 때문에, 이곳에서 일하는 사람들은 눈을 주변 지역으로 돌릴 수 밖에 없습니다.

YBD 역시 아파트를 기준으로 볼 때 몇몇 주상복합을 빼고 순수 아파트를 보면 너무 낡았습니다. 대장급인 여의도 시범은 말할 필요도 없습니다. 그렇다면 양질의 일자리가 많은 지역이면서

41

사람들이 선호하는 아파트가 밀집해 있는 지역을 찾는다면? 강남이 독보적입니다. 분위지도에서 GBD권역을 살펴보면 4분위 아파트가 압도적으로 많으면서도 여러 구역에 밀집된 형태로 배치되어 있습니다. 즉, 비싼 아파트들이 흩어져 있지 않고 모여있으며 그런 지역이 여러 군데라는 것입니다. 각 업무지구별로 자세히 알아보겠습니다.

먼저 CBD를 보시면 권역 내에 들어오는 아파트가 거의 없으며 서울 전체로 보았을 때 가장 높은 분위인 4분위 아파트가 하나도 없습니다. 권역 아래에는 남산이 위치하고 있으며 주요 입지에는 대부분 문화재가 자리를 차지하고 있습니다. 남산과 각종 문화재 및 주요 관광지를 중심으로 상업시설이 발달하게 되었고, 시간이 갈수록 구도심이 형성되면서 노후주택 단지들이 빈틈을 채우게 되었습니다.

▲ [그림21] (좌) CBD 권역 주요 주거지, (우) 경희궁 자이 (2017년 입주)

결국 CBD로 출퇴근 하는 사람들 중에 대단지 신축에 살고 싶

은 사람은? 서쪽인 신촌, 아현, 마포로, 남쪽인 용산으로, 동남쪽
인 금호, 옥수로, 동북쪽인 왕십리로 주거지 선택범위를 넓혀야
합니다. 그나마 CBD의 광화문에서 가까운 아파트가 몇 개 없는
데 그 중에서도 상품성이 좋은 신축단지는 경희궁자이가 유일합
니다. 대장이 될 수 밖에 없는 이유입니다.

▲ [그림22] (좌) YBD 권역 주요 주거지, (우) 여의도 시범 (1971년 입주)

여의도를 보시면 샛강으로 인해 지리적으로 영등포와 단절되어
있는 형태입니다. 여의도 개발 당시 샛강을 매립하여 영등포에
붙이려는 방안을 고려했으나 홍수에 대한 대비가 안된다는 이유
로 1970년 밤섬을 폭파시키고 여의도에 둑(윤중제)를 쌓아 현재
의 형태로 개발하게 되었습니다. 이러한 이유로 여의도는 섬의
형태로 남았고, 현재 여의도 내에는 70년대에 지은 아파트로 가
득 차 있습니다. 특히 여의도 시범은 71년 준공으로 현재 53년
차, 반세기를 지나온 아파트입니다. 물론 여의도 자이와 같은 몇
몇 주상복합도 있으나, 그 외 대부분의 아파트가 재건축을 추진
하고 있는 상황이라 실거주 입장에서는 편의성이 떨어질 수 밖

에 없습니다. 그리고 그 재건축 마저도 정치적인 이유 등으로 인해 발목이 붙잡혀 있는 상태입니다.

그렇다면 이곳 YBD에 출퇴근 하는 사람들 중 대단지 브랜드 신축에 살고 싶다면? 역시나 여의도를 벗어나야 선택지가 넓어집니다. 하지만 올림픽대로를 타고 샛강을 건너 남쪽으로 내려가면 대방동, 신길동, 영등포동 등 노후주택단지가 대부분입니다. 정비사업이 활발하긴 하나 전체적인 그림을 보았을 때에는 아직 시간이 많이 필요해 보입니다. 그나마 동쪽의 흑석뉴타운, 더 남쪽의 신길뉴타운과 신도림이 대안이 될 수 있으며 반대 방향으로 마포대교를 건넌다면 마포, 아현 쪽도 선택지가 될 수 있습니다.

강남으로 대표되는 GBD를 권역으로 표시해보면, 테헤란로와 강남대로가 그 중심에 오게 됩니다. 다른 권역 대비 사이즈가 큰 편인데 그 이유는 강남이 연담화가 잘 되어 있기 때문입니다. 1970년대 강남은 산업단지나 슬럼가가 없는 마지막 땅이었으며 논밭 뿐이던 드넓은 벌판이었습니다. 이러한 땅을 격자형으로 구획하고 미국식 Street & Avenue형 도시계획을 추진하여 여의도처럼 샛강에 격리되지도, 종로구나 중구처럼 문화재나 산으로 분절되지도 않은, 잘 정비된 신도시를 만들어 냈습니다. 또한 도로와 지하철 교통망 역시 촘촘하게 설치하여 주거, 상업, 업무 시설 등이 가까운 거리 내에서 긴밀하게 상호 연결될 수 있게 하였죠. 그 결과 강남은 다양한 도시기능의 연담화가 잘 이루어질 수 있었고, 업무 및 상업시설이 광범위하게 발달할 수 있었습니다.

▲ [그림23] GBD 권역별 주요 주거지

　좁게는 강남역부터 삼성역까지의 테헤란로, 신사역과 양재역을 잇는 강남대로를 경제의 축으로 볼 수 있지만 주민들의 주거지와 기타 편의시설의 분포 및 주거 선호도까지 고려했을 때에는 훨씬 넓은 범위까지 '강남'이라는 이름 안으로 들어오게 됩니다. 특히나 서초구가 강남구로부터 분구했기 때문에 '강남'이라는 이름을 공유하고 있는 것이나 다름없는 상태이기도 합니다.(반면, 송파구는 강동구에서 분구했기 때문에 '강남'이라는 이름을 공유

할 정도까지는 아닙니다. 오히려 '잠실'이라는 대표 타이틀이 더 잘 어울립니다.)

주거지로 선택할 수 있는 구체적인 지역을 보자면 북쪽으로는 전통의 부촌 압구정, 좌측에는 정비사업으로 퀀텀점프한 잠원, 반포, 서초, 남쪽에는 대한민국 학군 1번지 대치와 개포, 우측에는 탄천을 건너가야 하지만 잠실까지. 확실히 다른 업무지구와는 다르게 구역 내 양질의 주거지가 여러 곳임을 알 수 있습니다.

"범강남권에는 고급주거지가 넓고 균질성 있게 퍼져있습니다."

양질의 일자리 인근에 브랜드 대단지 신축이 곳곳에 넓게 퍼져 있어 선택권이 넓습니다. 강남 역시 70년대부터 개발된 곳이라 오래되긴 하였으나 모든 자원이 집중된 탓에 개발압력이 강하기로 소문난 곳입니다. 게다가 정비사업을 하기에도 탁월한 지형 및 입지이기 때문에 대단지 신축이 재건축, 재개발로 등장하여 지역의 상품성을 지속적으로 끌어올렸습니다. 반포지역을 예로 들면 2009년 반포자이와 반포래미안퍼스티지를 중심으로 시작된 재건축이 현재 2023년 래미안 원베일리까지도 계속 이어지고 있습니다.

▲ [그림24] (좌) 반포래미안퍼스티지, (우) 반포래미안원베일리

이러한 이유들 때문에 강남 지역은 CBD나 YBD처럼 다른 지역을 기웃거릴 필요가 없습니다. 대단지 신축부터 30년 넘은 구축까지, 그리고 아파트와 주상복합을 포함한 다양한 주거상품까지, 선택 대안이 풍부하다는 것 자체가 강남이 가지는 유일한 프리미엄입니다. 하지만 그만큼 가격도 비쌉니다. 흠이라면 그게 유일한 흠이겠네요.

4 | 입지요소#02

물리적 거리를 줄여주는 교통

양질의 일자리 주변에 배후주거지가 조성되어 있지 않다면 주거지와 직장 간의 거리가 멀어집니다. 멀면 멀수록 주택가격은 내려가겠지만 그만큼 직장까지 가는데는 더 많은 시간이 걸립니다. 그래서 사람들은 직장에서 너무 멀지 않은 곳 중에서 가격이 감당 가능한 아파트를 찾습니다. 이때 가장 중요한 요소가 바로 '교통'입니다.

교통이라는 요소는 본질적으로 '일을 하러 가기 위해' 필요한 요소입니다. 놀러가기 위해 지하철을 탈 수도 있지만 매일 같이 여가를 위해 지하철을 타지는 않습니다. 물론 다른 목적을 위해 지하철을 이용하긴 하지만 출근만큼 고정적인 교통수요는 없습니다. 우리나라는 자영업자 대비 임금근로자가 4배나 많기 때문에 7일 중 5일은 출근해야 합니다. 그래서 일자리 요소와 교통 요소는 서로 연관성이 높은 요소이며 함께 묶여 있는 요소로 볼 수 있습니다. 대규모 일자리가 생기는 곳에 교통 대책을 함께 수립하는 이유가 바로 이런 까닭 때문입니다.

4.1 일자리와 주거지 사이의 거리를 극복하게 해주는 교통

사람들이 일자리와 교통을 고려하여 주거지를 선택할 때, 다음의 두 가지 입지를 선호합니다.

- 직장에서 거리 자체가 가까워 빠르게 출퇴근할 수 있는 주거지
- 직장에서 거리가 멀지만 상대적으로 편하고 빠르게 출퇴근할 수 있는 주거지

전자는 물리적 거리 자체가 가까워 빠르게 출퇴근할 수 있는 곳입니다. 직주근접이 가능하며 아주 가까우면 걸어갈 수도 있겠죠. 이런 곳은 버스를 타도 금방 도착하기 때문에 반드시 지하철을 고집할 필요가 없습니다. 오히려 지하철 승강장을 오르내리는 시간이 더 많이 걸릴 수도 있죠.

후자는 거리 자체가 상대적으로 멀기 때문에 교통이라는 요소를 적극적으로 활용해야 하는 입지입니다. 특히 먼 거리를 빠르게 이동할 수 있거나, 환승 없이 한 번에 이동할 수 있는 교통편을 필수적으로 고려해야 합니다. 물리적 거리 대비 소요 시간을 줄여줄 수 있는 대안이 필요한 입지죠. 가장 대표적인 예로 GTX를 떠올릴 수 있습니다. 시간 대비 이동 거리의 효율이 좋은 교통수단이기 때문에 사람들이 많이 주목하는 것이며, 상승장에서는 높은 시세 상승의 원동력이 되기도 하였습니다.

"결국 내 시간을 아껴주는 입지일수록

더 많은 비용을 지불해야 합니다."

주요 일자리까지 이동하는데 걸리는 시간을 줄여줄 수 있다면 그렇지 않은 곳보다 더 많은 비용을 지불해야 합니다. 그리고 물리적 거리는 멀지만 더 빠르게 이동하여 이동시간을 단축 시켜줄 수 있다면 역시나 그렇지 않은 곳보다 더 많은 비용을 지불해야 합니다. 시간은 돈으로도 살 수 없으며 누구에게나 똑같이 주어진 24시간입니다. 낭비없이 효율적이고 가치있게 시간을 사용할 수 있도록 도와준다면? 그만큼 비용을 지불하는 것은 당연하다고 볼 수 있습니다.

4.2 직주근접만 생각할 수 없는 이유

▲ [그림25] 각 권역별 내 주거지

각 권역을 연결하여 삼각형(검은색)을 만들고, 이를 꼭짓점으로 연결한 원을 그리면 위와 같은 지역들이 포함되게 됩니다. 모두 직주근접이 가능한 곳이며 어떤 교통수단을 이용해도 짧은 시간 안에 주요 업무지구까지 접근할 수 있는 주거지입니다. 물리적인 거리 자체가 가까운 지역이죠.

"하지만 문제는 너무 비싸다는 겁니다.
교통 인접성·효율성·연결성을 생각하며 대안을 찾아야 합니다."

주요 업무지구와 가까울수록, 그리고 업무지구와 교통 인접성과 효율성, 연결성이 좋을수록 가격이 비쌉니다. 모든 사람이 진입하기에는 힘든 가격이죠. 그렇다면 대안이 필요한데, 이때 다음의 3가지 기준을 고려해야 합니다.

- (교통 **인접성**) 해당 지하철역과의 거리가 가까운가?
- (교통 **효율성**) 주요 업무지구를 최단거리와 최소환승으로 갈 수 있는가?
- (교통 **연결성**) 주요 업무지구를 지나가는 지하철 노선과 환승이 되는가?

4.3 교통 인접성
: 수도권에서는 지하철역과의 거리가 중요하다

수도권에서 지하철 역세권의 영향력은 대단합니다. 그래서 아파트 시세를 결정짓는 중요한 요소 중에 하나가 '지하철역과의 거리'이기도 합니다. 아래 그림은 7호선 신풍역 역세권 신길뉴타운 아파트들의 연식과 평당시세를 나타낸 것입니다. 모두 입주 10년 이내의 비교적 신축인데, 33~34평의 평당시세를 표시했습니다.

신풍역 주변은 상품성이 비슷한 아파트끼리 모여있는 지역입니다. 그것도 구축이 아니라 재개발 사업을 통해 새롭게 태어난 신축들이 밀집해 있는 곳이죠. 이곳의 신축 아파트들은 지하철역을 중심으로 거리에 따라 가격이 형성되어 있습니다. 신풍역에서 가장 가까운 래미안에스티움이 가격이 가장 비싼 1그룹, 300~400m 거리의 신길센트럴자이, 힐스테이트클래시안, 신길파크자이가 그 다음 2그룹, 600m 거리의 신길센트럴아이파크, 래미안프레비뉴가 마지막 3그룹을 형성하고 있습니다. 그룹별로 평당가가 3,900만원대, 3,600만원대, 3,300만원대 순으로 정렬되어 있습니다.

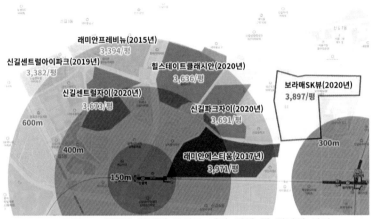

▲ [그림26] 신풍역 역세권 아파트 평당 시세 및 역과의 거리

가격 그룹	단지명	평당 시세3)	신풍역과의 거리 및 도보시간4)	
1그룹	래미안에스티움	3,971만/3.3㎡	100m	2분
2그룹	신길파크자이	3,691만/3.3㎡	367m	6분
	신길센트럴자이	3,673만/3.3㎡	305m	5분
	힐스테이트클래시안	3,636만/3.3㎡	336m	6분
3그룹	래미안프레비뉴	3,394만/3.3㎡	505m	8분
	신길센트럴아이파크	3,382만/3.3㎡	591m	9분

그리고 지도 우측에는 보라매SK뷰 아파트가 있는데 평당가를 보면 래미안에스티움의 평당가와 비슷합니다. 같은 7호선이면서

---

3) 23년 6월 초, 호갱노노 실거래 기준 평당가, 입주 년차 10년 이하, 33~34평 필터링 단지 조건
4) 신풍역으로부터 직선거리 기준

가장 가까운 지하철역인 보라매역과 300m 떨어져 있기 때문에 2그룹의 가격인 3,600만원대 수준이어야 하지만 더블 역세권(7호선+신림선) 프리미엄으로 인해 2그룹 가격보다는 높은 시세를 형성하고 있습니다. 하지만 1그룹 래미안에스트움처럼 초역세권까지는 아니기 때문에 1그룹과 2그룹 사이에서 가격을 형성하고 있습니다.

지하철역이 가까운 아파트는 멀리 있는 아파트들보다 시세가 비싸게 유지되는 것이 일반적입니다. 교통 접근성이 좋아 사람들이 더 많이 선호하기 때문입니다. 그래서 상승장을 만나면 지하철 역에서 가까운 아파트가 더 높은 비율로 상승할 가능성이 높습니다. 반대로 하락장을 만날 경우, 같은 비율(%)로 하락한다고 해도 지하철에서 가까운 아파트의 가격이 더 많이 하락할 수 있습니다. (물론 상승과 하락 시에 지하철 역세권의 모든 아파트들이 같은 비율로 움직이지 않고, 개별 단지의 상승/하락폭이 시기나 상황에 따라 다를 수 있습니다.)

하지만 적어도 시세의 순위가 바뀌지는 않습니다. 즉, 상승장이든 하락장이든 신풍역 역세권에서는 언제나 래미안에스티움이 가장 비싼 아파트라는 사실은 변하지 않을 것입니다. 그렇기 때문에 하락장에서 더 좋은 입지의 아파트가 다른 아파트들과 비교해 상대적으로 더 많이 하락했다면 나중에 상승장에서는 더 많이 상승할 수 있습니다. 그래서 하락장은 좋은 아파트를 매수할 수 있는 기회가 되기도 합니다.

4.4 교통 효율성과 연결성의 가치

앞에서 지하철역과의 인접성이 중요하다는 것을 확인하였다면, 이번에는 사람들이 선호하는 노선 중 하나인 2호선을 중심으로 교통 효율성과 연결성에 대해 알아보겠습니다. 2호선 라인(빨간선)은 서울의 중심지를 순환하는 형태입니다. GBD와 CBD를 관통하면서 중간중간 환승역을 통해 여러 노선을 거미줄처럼 엮어내기 때문에, YBD를 포함한 서울 전 지역을 최소한의 환승으로 연결할 수 있습니다. 즉, 교통 효율성과 연결성이 좋다고 할 수 있으며, 2호선을 황금노선이라고 부르는 이유입니다.

▲ [그림27] 2호선 라인 연계 주거지 및 7호선 라인

2호선을 따라 이동하면서 주요 주거지를 지도 위에 표시해보면 사람들이 선호하는 지역들이 많이 포함됩니다. 삼성동이나 성수

동과 같이 최상위입지로서 국평 기준 20억 이상의 지역들도 보입니다. 물론 그보다 낮은 가격대를 보이는 곳들도 있지만 대체로 시세가 높은 지역들입니다. 만약 내가 자금이 충분해 상급지로 바로 진입할 수 있다면 좋겠지만 그렇지 않다면? 주요 업무지구로부터 점점 더 멀어지면서 대안을 찾아야 합니다. 강남에서 외곽 방향으로 지하철 노선을 따라 살펴보겠습니다.

아래 그림은 7호선 라인입니다. 7호선은 서울 동북부에서 내려와 강남을 지나 인천까지 빠져나가는 노선으로서, 강남까지 환승 없이 갈 수 있기 때문에 교통 효율성이 돋보이는 노선입니다. 아래 그림에는 7호선 역세권 아파트 중 '10년 이내 & 500세대 이상'의 아파트들이 표시되어 있습니다. 업무지구 GBD에서 거리순으로 4개 단지를 선정하여 시세를 살펴보겠습니다.

▲ [그림28] 7호선 라인 역세권 아파트 시세

단지명	평당 시세[5]	가격 비율	강남역까지 환승횟수 및 소요시간	
고속터미널역 **신반포자이**	**8,618만**/3.3㎡	100%	1회	11분
이수역 **방배롯데캐슬아르떼**	**7,279만**/3.3㎡	84%	1회	17분
상도역 **롯데캐슬파크엘**	**4,519만**/3.3㎡	52%	1회	28분
신풍역 **래미안에스티움**	**4,205만**/3.3㎡	48%	1회	33분

위의 그림에서 표시된 역세권 아파트 모두 7호선을 타고 출발하면 GBD의 핵심역인 강남역까지 동일하게 1번씩 환승을 해야 합니다. 하지만 GBD에서 물리적 거리가 멀어질수록 소요시간은 점점 늘어납니다. 소요시간이 가장 짧은 신반포자이가 가장 비싸고 소요시간이 가장 긴 래미안에스티움이 4개 단지 중에서는 가장 시세가 낮은 것을 확인할 수 있습니다. 즉, GBD에서 가까울수록 비싸다고 할 수 있으며 시간과 편의성의 가치를 생각해볼 때, 출퇴근 하는데 필요한 시간과 에너지가 줄어드는 만큼 더 많은 비용을 지불해야 한다는 것을 알 수 있습니다.

또 한가지 주목할 부분은 아파트 가격이 거리와 시간에 따라 정비례로 변동하지 않는다는 점입니다. 평당가격으로 신반포자이가 8,000만원대, 방배롯데캐슬아르떼가 7,000만원대인 것과 비교해 나머지 두 단지는 평당가격이 4,000만원대로 급격히 낮아집니다. 신반포자이, 방배롯데캐슬아르떼는 강남3구 중 하나인

---

5) 23년 6월 초, 네이버부동산 중층이상 호가기준

서초구 소속이고 롯데캐슬파크엘과 래미안에스티움은 각각 동작구와 영등포구 소속입니다. 이러한 점을 볼 때, 행정구역에 따른 프리미엄도 있는 것으로 보여집니다. 이와 같이 아파트 가격은 교통이나 일자리 요소 외에도 수많은 요소로부터 영향을 받기 때문에 복합적이고 다각적으로 접근해야 합니다.

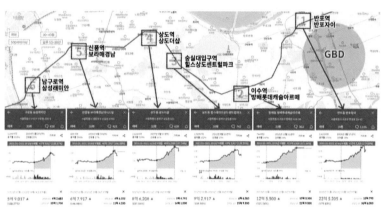

▲ [그림29] 7호선 주요 역세권 아파트 상승률 비교(10년이상, 500세대, 30평형대, 2015년 01월 ~ 2021년 10월까지)

단지명	상승금액	상승률
[1] 반포역 **반포자이**	23.5억	179.8%
[2] 이수역 **방배롯데캐슬아르떼**	12.5억	121.2%
[3] 숭실대입구역 **힐스상도센트럴파크**	9.3억	139.5%
[4] 상도역 **상도더샵**	8.6억	157.3%
[5] 신풍역 **보라매경남아너스빌**	6.8억	146.5%
[6] 남구로역 **삼성래미안**	5.9억	138.2%

이번에는 가격상승에 교통요소가 미치는 영향에 대해 알아보겠습니다. 위 단지들은 연식이 10~20년 사이, 500세대 이상, 30평형대, 역세권 500m 내 단지들입니다. 6년 9개월간의 가격 흐름을 비교해 볼 때 상승률에 있어서는 약간의 차이가 있으나, GBD 지구에 가까울수록 상승금액이 크고 반대로 멀어질수록 상대적으로 작은 것을 확인할 수 있습니다. 즉, 주요 업무지구에 가까울수록 평당가(시세)가 높으며, 같은 비율로 오르더라도 업무지구에 가까운 아파트가의 상승금액이 더 큽니다. 가격이 비싸기 때문에 모수 자체가 큰거죠.

> "양질의 일자리까지 물리적 거리가 가까울수록 혹은
> 편리하고 빠르게 접근할 수 있는 입지일수록 더 비쌉니다."

결국 교통이 가치를 갖는 이유는 일자리까지 빠르고 편리하게 접근시켜주기 때문입니다. 일은 생존과 관련되어 있으며, 출근은 선택할 수 있는 것이 아니라 필수적이며 강제적인 것입니다. 그래서 대부분의 근로자들은 일자리를 향해 출근해야 하며, 수도권에서는 정시성이 갖춰진 지하철을 통해 최소의 환승횟수와 최단의 시간으로 일자리까지 출근하는 것이 매우 중요합니다. 또한 물리적으로 거리가 멀어도 걸리는 시간을 획기적으로 줄여줄 수 있다면 편의성이 극대화될 것이고 삶은 몰라보게 윤택해질 수 있습니다. 결국 사람들은 이러한 시간절약과 편의성의 가치를 인정하기 때문에 비싼 가격임에도 그 가격을 지불하는 것입니다.

4.5 지하철 노선에도 등급이 있나?

지하철 노선에도 등급이 있을까요? 네. 있을 수 있습니다. 노선마다 연결되는 곳이 다르고 주요 일자리 지역까지 걸리는 시간, 환승 횟수 등이 다르기 때문에 지하철 노선에 대한 사람들의 선호 역시 달라질 수 있습니다. 어떤 일자리 지역과 연결되는지 그리고 얼마나 빠르게 연결할 수 있는지가 선호도의 기준이 되며, 동시에 이러한 선호의 강도가 지하철 노선의 등급을 매길 때의 기준이 됩니다.

등급	연결되는 노선	지하철 노선
1등급	강남구 · 서초구와 연결되는 노선	2·3·7·9호선, 신분당선
2등급	중구·종로구·여의도·마포구·금천구 등과 연결되는 노선	1·4·5·6호선, 공항철도
3등급	그 외 지역으로의 출퇴근 노선	1-9호선 중 강남권까지 50분 이상 소요
4등급	출퇴근 노선이 아닌 역세권	수인선, 용인·의정부 경전철, 인천지하철
5등급	역세권이 아닌 지역	

▲ [그림30] 지하철 노선의 등급, 「대한민국 부동산 투자, 김학렬」

1등급 노선에 연결된 지역은 강남구, 서초구, 2등급 노선에 연결된 지역은 중구, 종로구, 여의도, 마포구, 금천구입니다. 이들의 공통점은 '주요 일자리 지역 혹은 주요 일자리 지역과 인접한 주거지'라는 점입니다. 이 지역들로 출퇴근 하는 사람이 많기 때문에 이곳과 연결된 지하철 노선은 다른 노선에 비해 더 이용하는 사람이 더 많습니다.

▲ [그림31] 2021년 노선별 역당 일평균 승하차량 순위

그러다보니 GBD, CBD, YBD로 연결되는 2, 4, 3, 7호선이 일평균 승하차량 순위에서 1~4위를 차지했습니다.

아래 그림은 2, 4, 3, 7호선 지하철 노선을 나타낸 것이며, 그 위에 주요 업무지구를 표시하였습니다. 역당 일평균 승하차량이 많은 4개 노선 모두 GBD, CBD, YBD 중 한 곳 이상 환승없이 연결되거나 환승 1회로 연결됩니다.

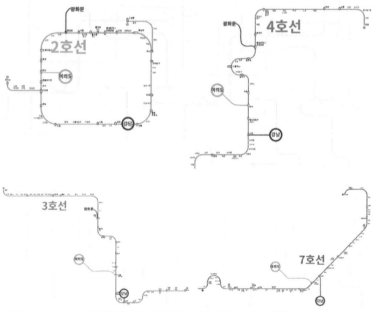

[그림24-2] 2, 4, 3, 7호선에서 주요 업무지구 위치 (빨강 : GBD, 파랑 : CBD, 초록 : YBD)

상대적으로 이용하는 사람이 더 많은 노선이 있기 때문에 '황금노선'이라는 말이 생겨나고 이러한 교통 프리미엄에 따라 해당 노선의 지하철역 인근에도 프리미엄이 생깁니다. 즉, 사람들이 더 선호하는 노선의 역세권 아파트일수록 사람들이 더 많이 선호하며 가격 역시 더 비쌉니다. 더 비싼데도 사람들이 그 가격을 지불하는 이유는 교통이 가져다주는 편리함과 효용이 그만큼 가치있다고 생각하기 때문입니다.

5 │ 입지요소#03

12년간 수요를 묶어두는 학군

학군은 자녀의 교육과 관련되어 있습니다. 계층이동의 가장 대표적인 수단이었기 때문에 우리나라는 역사적으로 교육에 많은 투자를 해왔습니다. 과거에 비해 '개천 용'의 비율은 점점 줄고 있는 것은 사실이나, 자녀를 좋은 교육환경에서 교육시키고자 하는 부모의 욕구는 여전히 강합니다. 학업성적의 측면 뿐만 아니라 사회정서적 환경 역시 학군지가 더 우수하기 때문에 학군지 선호현상은 여전히 유효한 것이죠.

경제/소비자
자수성가는 없다…신분세습 갈수록 심해져
2015년 11월 19일 20시 24분

자수성가 비율 국가별 순위

중국	97%		타이완	53%
영국	80%		인도네시아	47%
일본	73%		태국	40%
캐나다	70%		프랑스	40%
호주	70%		인도	33%
미국	63%		한국	23%
필리핀	53%			

▲ [그림33] 자수성과 비율 국가별 순위, 뉴스타파, 2015.11.19.

5.1 학군이 중요한 이유와 좋은 학군의 의미

현재 우리나라의 6-3-3-4 학제는 초등학교 6년, 중학교 3년, 고등학교 3년, 대학교 4년으로 구성되어 있습니다. 그 중 초등학교에서 고등학교까지의 기간 총 12년을 어떻게 보내느냐에 따라 자녀의 진로가 정해지고 향후 직업이 결정된다고 볼 수 있습니다. 그렇기 때문에 부모들은 상당히 오랜 시간동안 많은 자원을 투입해서라도 자녀를 더 좋은 대학에 보내고자 합니다. 특히 서울대, 의대를 가는 것이 상위권 학생들의 최대과제인데 이러한 목표를 달성하기에 최적화된 곳이 바로 '학군지'입니다.

교육(입시)이라는 단일요인으로 한 가구의 수요를 12년간 묶어놓을 수 있다는 것 자체가 상당히 큰 영향력입니다. 요즘은 한 회사에서 10년 근속도 힘든데 12년간 고정적이면서 지속적으로 신규 수요를 강하게 끌어당기는 이 학군요인은, 부동산 시장에서 큰 화두일 수 밖에 없습니다.

> "좋은 학군이란 아이가 초등 고학년이 되어도
> 이사 걱정없이 중고등 6년을 꾸준히 살 수 있는 곳"

위 내용은 「대한민국 학군지도」의 저사 심정섭 님의 글에서 발췌한 내용입니다. 위 문장의 포인트는, 초등 고학년 이후 중고등 6년이 자녀의 학습역량을 키우는데 있어서 가장 중요한 시기라는 것인데, 교육은 집중적으로 투자해야 하는 '결정적 시기'가

정해져 있다는 것을 전제하고 있습니다. 우리나라에서는 일반적으로 '자녀의 생애 주기상 공부가 가장 중요한 과업인 때'를 중고등 6년이라고 인식하고 있는데, 자녀가 있는 가정에서 학군지로 가려는 수요가 바로 이 중고등 6년 이 시기에 집중된다는 것입니다.

이렇게 중요한 6년을 잘 보내고 내 아이가 나중에 좋은 직업(최근 트렌드로는 '의사')을 가졌으면 하는 마음은 부모 입장에서 당연하다고 볼 수 있습니다. 그리고 부모가 전문직이면 내 아이도 전문직을 갖길 원하는 마음 역시 자연스러운 마음입니다. 시대가 변해도 부모가 자식을 생각하는 마음은 변하지 않기 때문에 학군지 선호현상이 계속 유지되는 것입니다.

이러한 부모는 입시라는 목표를 위해 온 가족이 최소 6년을 투자하며, 그들은 더 좋은 투자 성과를 위해 학습환경이 더 양호하고 입시성적이 좋은 학원, 학교가 많은 지역으로 거주지를 옮겨가고자 합니다. 이러한 심리로 인해 학군지의 수요가 강해지며 수요의 집중화로 인해 자연스럽게 아파트 가격은 오릅니다. 상승기에는 매매로 참여하고자 하는 수요가 강해져 매매가가 강세를 보이고, 하락기에는 매매보다 전세로 참여하고자 하는 수요가 강해 전세가가 오르기도 합니다.(물론 다른 요소에 의해 전세가가 하락할 수 있습니다.) 결국 부동산 시장의 분위기에 따라 매매가든 전세가든 가격이 오르는데, 이는 경기흐름에 비교적 관계없이 오르는 경향이 있습니다. 식비는 줄여도 아이 교육만큼은 포기할 수 없다는 부모의 마음이 담겨있기 때문이며, 특히 중학교 배정과 관련해 초등 고학년부터는 쉽게 주소지를 옮길 수도 없기 때문입니다.

5.2 최근 입시의 트렌드 : 의대와 서울대

최근 최상위권 학생들의 선호대학은 단연 '의대'입니다. 과거에 비해, 재수를 해서라도 '의치한약수'(의대, 치의예, 한의대, 약학대, 수의대)를 가고자 하는 경향이 강해지고 있습니다. 이는 인플레이션 헷지와 자산의 중요성이 강조되는 시대인 만큼 자연스러운 경향이라 보여지며 '전문직'을 선호하는 트렌드가 반영되었다 봅니다.

순위	서울대	연세대	고려대
1	의예	의예	의과대학
2	치의학	치의예	사이버국방
3	약학계열	약학	반도체공
4	전기.정보공학부	디스플레이융합공	스마트모빌리티학부
5	컴퓨터공학부	시스템반도체공	화공생명공
6	수리과학부	컴퓨터과학	데이터과학
7	수의예	전기전자공학부	컴퓨터
8	산업공	화공생명공학부	차세대통신
9	기계공학부	인공지능	전기전자공학부
10	통계	신소재공학부	기계공학부

▲ [그림34] 2023년 SKY 자연계열 인기학과 순위 (매일경제, 23.5.4.)

하지만 여전히 서울대 입시결과(이하 '입결')는 의미가 있습니다. 서울대는 국립대인만큼 입시결과를 공시해야 하기 때문에 어느 고등학교에서 서울대를 많이 보냈는지 알 수 있습니다. 반대로 대부분 의대는 입결을 공개할 의무가 없습니다.(의대는 최종

합격생의 학교별 중복합격건수만 알 수 있습니다.) 따라서 국립 대인 서울대의 입학생 수에 따라 각 학교의 서열이 매겨진다고 볼 수 있습니다. 물론 학교 서열화에 대한 반대의견도 많지만 교육 수요자의 입장에서 어느 학교가 좋은 대학을 많이 보내는지에 대한 객관적인 지표 정도는 있어야 한다는 의견도 많습니다.

어쨌든 부모 입장에서 내 아이를 의대나 서울대로 보내고자 하는 의지가 강하다면 소위 '명문대'를 많이 입학시키는 '명문고'로 진학시키고자 할 것입니다. 대표적인 명문고라고 하면 대부분 해당 지역의 특목고나 자사고가 먼저 떠오릅니다. 해당 지역에 의대, 서울대를 많이 보내는 평준화 고등학교(일반고)가 없다면 당연히 특목·자사고[6]에 좋은 자원들이 많이 몰릴 것이며, 학군이나 학력이란 것이 하루 이틀 만에 끌어올릴 수 있는 것이 아니기 때문에 특목·자사고 쏠림 현상, 학교간 학력격차는 더욱 심화되고 있습니다. 실제로 2010년대 이후 서울대 합격생 출신비율을 보면 영재학교, 과학고, 외국어고, 국제고, 자사고 등 특목·자사고가 50% 이상을 차지하고 있는데, 전체 고등학교 중에서 2~3% 정도 차지하는 특목·자사고의 비중(마이스터고 제외)을 생각해보면 우수 자원들이 특목·자사고에 많이 쏠리고 있다는 것을 알 수 있습니다.

최근 '의대몰빵'이라는 말이 생길 정도로 의대 선호도가 높아지

---

6) 특목고 : 과학고, 외고, 국제고, 예고, 체고, 마이스터고
  자사고 : 자율형 사립고, 전국단위 10개교(서울하나고, 용인한국외대고, 강원민사고 등), 광역단위 24개교

고 서울대 비인기 학과에 진학하느니 지방의대를 가겠다는 선호 역시 강해지고 있습니다. 뛰어난 국가의 인재들이 모두 의대로 가는 세태가 과연 바람직한가에 대한 논란이 있고, 사교육의 목적이 '계급재생산'이라는 비판도 쏟아지지만 부모 입장에서는 당장의 내 아이 입시 결과가 중요하기 때문에 이러한 경향은 계속 이어질 것으로 예상됩니다.

5.3 23년 서울대 신입생 기준 입시결과 분석

가장 확실한 자료인 서울대 등록자를 기준으로 살펴보겠습니다. 아래 기사의 내용을 살펴보면 서울대 합격생을 기준으로 할 때, 7명 이상의 서울대 합격생을 배출해야 Top100 고등학교에 들 수 있다고 합니다.

홈 고입 대입실적 서울대 실적 톱100

2023 서울대 등록자 톱100 고교.. 서울과고 외대부고 경기과고 하나고 대원외고 톱5

조 기자 입력 2023.02.27 16:10 수정 2023.05.12 12:24 호수 400 댓글 0

[베리타스알파=조혜연 기자] 2023 서울대 수시 정시 등록실적을 기준으로 고교유형과 지역분포를 분석한 결과 톱100은 7명에서 끊겼다. 톱100 내 가장 많은 고교유형은 48개교의 일반고(자공고 포함)다. 톱100 전체 합격자 1809명의 30.9%인 560명의 서울대 등록자를 배출했다. 이어 영재학교 8개교 335명(18.5%), 광역단위 자사고 19개교 320명(17.7%), 전국단위 자사고 10개교 254명(14.0%), 외고 12개교 201명(11.1%), 과고 7개교 72명(4%), 국제고 7개교 67명(3.7%) 순이다.

등록자 톱은 서울 종로 소재 과학영재학교인 서울과고다. 수시 55명, 정시 22명 등 77명이 등록했다. 외대부고가 수시 24명 정시 36명 등 60명으로 뒤를 이었고, 경기과고가 수시 46명 정시 11명, 하나고가 수시 42명 정시 15명 등 각 57명으로 공동3위다.

일반고는 올해 톱100에 48개교가 이름을 올렸다. 서울 소재 고교가 25개교로 과반이고 강남구(9개교) 서초구(3개교) 송파구(3개교) 양천구(3개교) 등 교육특구의 성과가 두드러졌다. 전국 일반고 순위 톱은 경기 분당구의 낙생고다. 수시 1명, 정시 23명 등 24명의 서울대 등록자를 배출했다. 이어 숙명여고가 수시 6명 정시 17명 등 총 23명, 단대부고가 수시 7명 정시 15명 등 총 22명으로 톱3다. 모두 수시보다 정시실적이 압도적이었다.

<톱10.. 영재학교 5개교, 전국자사 2개교, 광역자사 2개교, 외고 1개교>

예체능계열을 제외하고 보면 서울대 등록자를 가장 많이 배출한 고교는 영재학교인 서울과고로 서울대 등록자 77명을 배출했다. 수시 55명, 정시 22명이다. 서울과고는 2016학년 68명, 2017학년 63명, 2018학년 57명, 2020학년 63명, 2021학년 68명, 2022학년 67명으로 부동의 최강 영재학교 자리를 꾸준히 유지하고 있다. 2019학년의 경우 서울대가 등록실적을 공개하지 않았다. 2023학년에는 정시 등록자가 전년 대비 9명 증가하면서 압도적인 서울대 등록 규모를 기록했다. 정시실적의 경우 재수생/N수생의 실적인 경우가 많다.

<교육특구 정시 강세 뚜렷.. 정시 확대 기조 영향, 매년 확대 예상>

공개된 톱100 실적에서 상위권을 기록하고 있는 일반고/광역자사고 중 교육특구 소재 고교에서의 정시실적이 눈에 띈다. 일반고(자공고 포함)의 경우 톱100에 이름을 올린 48개교 중 절반이 넘는 25개교가 서울 소재 고교다. 이 중 대표적인 교육특구인 강남에 위치한 곳은 숙명여고 단대부고 경기고 영동고 은광여고 중산고 진선여고 개포고 경기여고 등 총 9개교다. 서초에 위치한 곳은 5개교, 송파와 양천 소재 고교는 각 3개교로 4개 지역에서만 20개교가 포함됐다.

<일반고 48개교 560명>

일반고는 톱100 내 48개교 560명의 실적이다. 수시 192명, 정시 368명으로 정시실적이 수시실적보다 2배 가까이 많다. 일반고 톱은 경기 분당에 위치한 낙생고다. 총 24명의 서울대 등록자를 배출했고, 수시 1명, 정시 23명의 정시 위주 실적인 특징이 있다.

▲ [그림35] 교육전문신문 VERITAS α, 23년 2월 27일 기사

기사 내용의 핵심만 간결하게 정리해보면

- **Top100에서 일반고(자공고 포함) 48개교, 특목·자사고 63개교**
- **Top1~18 모두 특목·자사고**

  Top1 서울과고(영재학교) 77명

  Top2 외대부고(전국자사고) 60명

  Top3 경기과고/하나고 57명
- **Top100에 든 일반고 48개교 중 서울 소재 25개교로 과반**

  서울 : 강남구(9개교), 서초구(3개교), 송파구(3개교),

  　　　 양천구(3개교)
- **일반고는 정시실적이 수시실적보다 2배 가까이 많음**

  일반고 Top1 낙생고(24명), 성남시 분당구

  일반고 Top2 숙명여고(23명), 서울 강남구

  일반고 Top3 단대부고(22명), 서울 강남구

　일단 Top100 고등학교 안에 특목·자사고의 비율이 높다는 것을 확인할 수 있습니다. 우리나라의 전국 고등학교 개수가 약 2,300여개인데 그 중 특목·자사고가 약 100개 정도 됩니다. 전체 고등학교에서 5%도 안되는 비율입니다. 이렇게 5%도 안되는 특목·자사고의 60% 넘는 학교가 Top100 안에 들어갔습니다. 그만큼 학생선발권을 통해 우수자원을 많이 확보할 수 있는 입장이니 입결이 좋을 수 밖에 없습니다.

　또한 Top100 안에 든 일반고를 볼 때, 서울 소재 학교가 과반을 넘었으며 역시나 강남, 서초, 송파, 양천 등 대치와 목동으로 대표되는 학군지면서도, 아파트 시세가 비싼 지역이 모두 포함되었음을 확인할 수 있습니다.

일반고의 입결 상위순위를 볼 때에도 역시 학군지의 강세를 확인할 수 있습니다. 경기도 학군의 대장인 분당 낙생고가 1위를 차지했고 2,3위를 차례로 강남구에서 가져갔습니다.

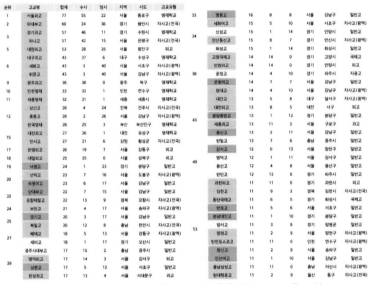

순위	고교명	합계	수시	정시	지역	시도	고교유형	순위	고교명	합계	수시	정시	지역	시도	고교유형
1	서울과고	77	55	22	서울	종로구	영재학교	33	영동고	16	8	8	서울	강남구	일반고
2	외대부고	60	24	36	경기	용인시	자사고(전국)	34	세화여고	15	5	10	서울	서초구	자사고(광역)
3	경기과고	57	46	11	경기	수원시	영재학교		신성고	15	1	14	경기	안양시	일반고
3	하나고	57	42	15	서울	은평구	자사고(전국)		안산동산고	15	8	7	경기	안산시	자사고(광역)
5	대원외고	53	28	25	서울	광진구	외고		화성고	15	1	14	경기	화성시	일반고
6	대구과고	43	37	6	대구	수성구	영재학교	38	고양국제고	14	14	0	경기	고양시	국제고
6	세화고	43	3	40	서울	서초구	자사고(광역)		안양외고	14	14	0	경기	안양시	외고
6	휘문고	43	3	40	서울	강남구	자사고(광역)		운정고	14	4	10	경기	파주시	자율고
9	광주과고	38	38	0	광주	북구	영재학교		은광여고	14	7	7	서울	강남구	일반고
10	인천영재	33	32	1	인천	연수구	영재학교		현대고	14	4	10	서울	강남구	자사고(광역)
11	세종영재	32	31	1	세종	세종시	영재학교		대건고	13	5	8	대구	달서구	자사고(전국)
12	상산고	28	4	24	전북	전주시	자사고(전국)		대전외고	13	8	5	대전	서구	외고
12	중동고	28	2	26	서울	강남구	자사고(광역)	43	광영종합고	13	1	12	경기	분당구	일반고
12	한국영재	28	25	3	부산	부산진구	영재학교		세종과고	13	11	2	서울	구로구	과고
15	대전외고	27	26	1	대전	유성구	영재학교		중산고	13	2	11	서울	강남구	일반고
15	민사고	27	21	6	강원	횡성군	자사고(전국)		한일고	13	7	6	충남	공주시	자사고(전국)
17	한영외고	26	19	7	서울	강동구	외고		강서고	12	0	12	서울	양천구	일반고
18	대일외고	25	25	0	서울	성북구	외고		명덕고	12	1	11	서울	강서구	일반고
19	낙생고	24	1	23	경기	분당구	일반고	49	용산고	12	4	8	서울	용산구	일반고
20	선덕고	23	7	16	서울	도봉구	자사고(광역)		한민고	12	12	0	경기	파주시	일반고
20	숙명여고	23	6	17	서울	강남구	일반고		과천외고	11	11	0	경기	과천시	외고
22	단대부고	22	7	15	서울	강남구	일반고		김천고	11	9	2	경북	김천시	자사고(전국)
22	포항제철고	22	13	9	경북	포항시	자사고(전국)		동탄국제고	11	6	5	경기	화성시	국제고
24	보인고	21	4	17	서울	송파구	자사고(광역)		반포고	11	5	6	서울	서초구	일반고
25	경기고	20	3	17	서울	강남구	일반고		분당대진고	11	1	10	경기	분당구	일반고
25	북일고	20	12	8	충남	천안시	자사고(전국)		양서고	11	3	8	경기	양평군	일반고
27	배재고	18	5	13	서울	강동구	자사고(광역)	53	양정고	11	2	9	서울	양천구	자사고(광역)
27	세마고	18	1	17	경기	오산시	일반고		인천포스코고	11	11	0	인천	연수구	자사고(광역)
	공주사대부고	17	15	2	충남	공주시	일반고		창신고	11	2	9	서울	송파구	일반고
29	명덕외고	17	14	3	서울	강서구	외고		진선여고	11	1	10	서울	강남구	일반고
29	상문고	17	5	12	서울	서초구	일반고		충남삼성고	11	11	0	충남	아산시	자사고(광역)
	한성과고	17	13	4	서울	서대문구	과고		현대청운고	11	2	9	울산	동구	자사고(전국)

▲ [그림36] 2023학년도 서울대 고교별 등록실적 Top100 중 64위

서울대 고교별 등록실적 표에서 특목·자사고는 빨간색으로 표시했으며 일반고 중에서 강남3구와 분당을 파란색으로 표시했습니다. 상위 64개교 중에 특목고, 자사고, 강남3구, 분당학군지가 아닌 일반고는 10개 뿐입니다. 그만큼 입시결과에 있어서 특목·자사고와 학군지의 강세가 두드러짐을 알 수 있습니다.

5.4 중학교 학군이 중요한 이유

: 특목 · 자사고 입학을 위한 빌드업

위의 기사 내용에서 확인했듯이 대학 입시에서 좋은 결과를 거두기 위해서는 특목 · 자사고 혹은 각 지역의 Top100 안에 드는 일반고를 가는 것이 압도적으로 유리합니다. 특히 특목 · 자사고 입학은 학군지 학부모들의 최대과제죠. 그래서 학부모들은 특목 · 자사고 진학률이 높은 중학교에 아이를 입학시키기 위해 그 앞 단계로서, 해당 중학교에 배정받을 수 있는 초등학교로 아이를 전 · 입학시킵니다. 즉, 의치한약수+서울대를 가기 위해 '특목 · 자사고 진학률이 높은 중학교를 배정받는' 초등학교에 다니는 것이 첫 단계라고 할 수 있습니다.

최근에는 일제고사라고 불리던 전국단위 학력성취도 평가가 없어졌기 때문에 일괄적으로 초중학교 학군을 비교하기 어렵고, 아실 사이트에서 볼 수 있는 학군 데이터 역시 오래된 데이터입니다. 그래서 중학교 성취도를 평가하기 위해서는 학교 알리미 공시를 통해 그 중학교의 고등학교 입시결과를 활용할 수 밖에 없습니다. 이러한 이유들로 인해 특목 · 자사고 진학률이 높은 중학교는 늘 인기가 많고, 그 중학교로 배정받을 수 있는 초등학교는 과밀인 경우가 많습니다.

"좋은 학군의 초등학교에서는 초등 고학년 비중이 높아집니다."

아무래도 초등 저학년까지는 학습에 대한 부담이 없다가 고학년이 될수록 향후 중고등학교에 대한 고민을 하게 됩니다. 그래서 초등학교 3~4학년 이후부터는 학군지를 찾아 이동하고자 하는 수요가 생기게 되고, 유명 학군지 지역의 초등학교 고학년은 이러한 수요의 밀집으로 인해 과밀이 되거나 포화상태가 됩니다. 즉, 학군지 학교로의 쏠림이 학군지 아파트 쏠림현상으로 번지게 되는 것입니다.

		수내중	서현중	이매중	내정중	백현중	보평중	늘푸른중	판교중	백송중	정자중	산백현중	샛별중	양영중	문정중	불곡중	낙원중	삼평중	분당중
2020 학년도	일반고	360	371	262	320	221	197	205	119	192	123	147	147	206	160	233	129	124	126
	특목고	25	21	18	15	16	12	8	5	13	9	6	7	7	5	2	5	3	8
	자사고	9	9	12	13	11	9	4	6	1	3	3	2	2	2	2		2	1
	특목+자사	34	30	30	28	27	21	12	11	14	12	9	9	9	8	4	7	5	9
2021 학년도	일반고	313	323	295	291	149	199	172	119	115	103	127	157	194	156	219	134	122	117
	특목고	19	14	13	16	6	12	9	10	10	9	10	9	11	7	5	3	2	3
	자사고	6	6	11	9	3	5	1	5	2	2	5	4	4	4	3	3	2	0
	특목+자사	25	20	24	25	9	17	10	15	12	11	15	13	15	11	8	6	4	3
2022 학년도	일반고	406	358	305	307	197	210	197	146	147	110	123	91	202	174	224	134	126	118
	특목고	10	17	9	13	16	9	13	7	6	9	3	3	3	5	4	4	6	4
	자사고	8	8	9	3	7	5	4	3	5	0	4	2	3	2	4	2	1	0
	특목+자사	18	25	18	16	23	14	17	10	11	9	7	9	6	5	9	6	7	4
총 합계		77	75	72	69	59	52	39	36	37	32	31	31	30	24	21	19	16	16

▲ [그림37] 분당지역 내 중학교 입시결과 (20~22년까지 3년간)

 분당의 중학교 진학을 예시로 들어보겠습니다. 학군지로 유명한 분당 내에서도 가장 인기있는 중학교를 꼽으라면 단연 '수내중' 입니다. 2022학년도 특목·자사고 진학성적이 다소 떨어지긴 했지만 2020년부터 3년 통산 가장 많은 수의 졸업생을 특목·자사고로 보냈습니다. 우수한 자원들이 많기로 유명하고 오랫동안 진학실적이 좋았기 때문에 분당 내에서도 최선호 중학교로 꼽힙니다.

▲ [그림38] 수내동 파크타운롯데1차 '이야기'중

위에서 캡쳐한 단지는 내정중(빨간색)에 바로 인접한 수내동 파크타운롯데1차입니다. 호갱노노에서 해당 아파트의 '이야기'를 살펴보니 초등 고학년에 이사오면 내정중을 진학하지 못하므로 초등학교 2,3학년 때 미리 들어와야 한다고 합니다.

이런 이야기가 나오는 이유는 성남교육지원청의 중학교 배정업무 지침 때문입니다. 중학교 진학 시 근거리 배정을 하는게 원칙인데, 중학교 정원보다 입학희망정원이 많을 시 현 소속 초등학교 재학기간이 긴 학생을 우선배정 합니다. 그렇다면 학부모 입장에서는 초등 고학년 때 해당 아파트로 오는 것이 아니라 초등 저학년 때부터 미리 들어와서 자리를 잡아야 한다는 것이며, 그 이후 약 10년 간은 이사가기 힘들게 됩니다.

학생이 행복한 성남교육

2023학년도
중학교 신입생 배정업무 지침

2022. 8.

경기도성남교육지원청
(기획경영과)

나. 지망순위 작성
1) 거주지가 속한 해당 중학군 내 모든 중학교를 지망한다.
2) 1지망교는 반드시 1근거리 중학교를 지망하여야 한다.
3) 2지망교부터는 근거리교 순위에 상관없이 지망할 수 있다. 단, 지망 순위가 같은 학생이 중학교 입학 정원보다 많을 경우 근거리교 순위가 앞서는 학생을 우선 배정한다.

※ 근거리교 순위
○ 거주지에서 거주지가 속한 해당 중학군 내 중학교까지의 거리를 측정한 후 가까운 순서대로 1~4순위를 부여한 것
○ 종합배정 시 우선 순위에 반영되는 것은 거주지에서 학교까지 측정한 개별 수치가 아닌 근거리교 순위임을 유의

다. 배정원칙

지망 순위 > 근거리교 순위 > 소속 초등학교 총 재학기간 순위 > 컴퓨터 추첨

1) 중학교 학교군 내 거주자는 학교군에 속한 중학교에 배정함을 원칙으로 한다.
2) 지망인원이 중학교 입학 정원보다 많을 경우에는 근거리교 순위가 높은 학생을 우선 배정한다.
3) 학교 지망 순위, 근거리교 순위가 같은 학생이 중학교 입학 정원보다 많을 경우에는 현 소속 초등학교 총 재학기간이 긴 학생을 우선 배정한다.
4) 학교 지망 순위, 근거리교 순위, 현 소속 초등학교 총 재학기간 순위가 같은 학생이 중학교 입학 정원보다 많을 경우 컴퓨터 추첨으로 배정한다.
5) 학구위반 학생은 같은 지망 안에서 일반 학생을 먼저 배정한 후 마지막 순위로 배정한다.
6) 성남시 초등학교 재학생으로서 실제 거주지가 성남시가 아닌 학생은 성남시 학교군 내 거주 학생을 배정한 후 잔원이 있는 학교에 임의 배정한다.

▲ [그림39] 23학년도 중학교 신입생 배정업무지침, 성남교육지원청

　이런 이유들 때문에 학군은 오랜 기간동안 거주수요를 붙잡아 놓게 됩니다. 그리고 형성되는데 오랜 기간이 걸리며 만들고 싶어도 쉽게 만들 수가 없습니다. 신도시가 생겨도 명문 학교가 생기지 않는 이상 학원가만으로는 학군지로서 입지를 다지기에 한계가 있습니다. 그래서 학군은 다른 입지로 대체하기도 어려운 요소이기도 합니다.

　일자리와 교통은 부모가 조금이라도 더 고생하면 된다는 마음으로 출퇴근 거리와 시간을 참고 극복하려고 하지만 학군의 경우는 눈에 넣어도 아프지 않은 '내 자식'의 문제이기 때문에 다른 요소들보다 우선순위로 오게되는 경향이 있습니다. 사람들이 초품아를 선호하는 이유도 비슷한 맥락입니다.

　지방의 경우, 학군지로의 수요 쏠림현상이 더 강합니다. 광역시

급 도시라 할지라도 인구나 가구 규모의 한계로 인해 학군지가 분산되어 형성되지 않고 지역 내 한 두 군데에 집중되어 만들어집니다. 대전의 둔산동이나 대구의 범어4동이 해당 광역시의 대장이 되는 이유입니다.

5.5 경제력과 학군 간의 관계

흔히 말하는 명문 중, 고등학교 그리고 특목·자사고의 입시결과가 워낙 좋기 때문에 이곳으로 모여드는 수요는 늘 많습니다. 다들 들어가고 싶어하죠. 하지만 이런 곳일수록 경쟁이 치열하며, 충분한 영·수 선행 없이는 버텨내기가 어렵습니다. 특히 내신에 있어서는 오히려 불리할 수 있기 때문에, 학생의 상황과 역량에 맞는 전략을 세워 구체적이고 효율적으로 공략해야 합니다. 그렇다면 학생 수 만큼 다양하고 디테일한 학습계획 및 진학 전략이 필요한데 그러한 수요를 받아주는 곳이 바로 요즘의 학원들입니다. 단순히 반복학습과 선행을 넘어서 학생의 상황과 특성에 알맞은 선택지를 추려내고 학습·진학 전략을 세워주는 곳으로 학원이 변모하고 있는 것입니다.

그렇다면 이러한 학원들의 학원비는 어느 정도 할까요? 대부분의 중학생들은 고등학교 과정의 영·수 선행을 하고 고등학교로 진학하는 추세인데 보통 이럴 경우 한 강의 당 20~30만원이 기본이며 내신을 포함 선행학습까지 추가한다면 사교육비가 월 100~200만원 정도는 거뜬히 나옵니다. 연 1,200만원에서 출발해 많게는 컨

설팅비, 교재비, 논술 및 특강까지 하면 3,000~5,000만원까지도 나올 수 있습니다. 보통 가정에서 연 1~3천만원 정도를 학생 1인당 사교육비에 투자한다는 얘기인데, 부담이 클 수 밖에 없습니다.

> "학군은 해당 지역 학부모의 뜨거운 교육열과
> 충분한 경제력으로 만들어지며, 이는 곧
> 더 높은 주택가격에 대한 지불능력을 의미합니다."

교육열이 높은 부모는 좋은 학교와 학원이 많은 학군지로 모이며, 자신들의 경제력을 바탕으로 학군지의 사교육 서비스를 자녀에게 제공합니다. 양질의 학원가는 다른 지역의 학원들 대비 더 좋은 서비스를 제공하고 더 좋은 입결로 그 실력을 증명합니다. 즉, 학원 입장에서는 입시결과가 곧 최고의 마케팅이 되는 것입니다.

▲ [그림40] 대학입결을 광고하는 학원 광고지

이러한 과정을 보면 학군지에서는, 교육열이 뜨거운 학부모가 양질의 사교육 서비스에 비싼 비용을 지불하고 입시결과로 보상을 받는, 이 구조가 톱니바퀴 물려 돌아가듯 돌아갑니다. 만약 여기서 부모의 경제력이 뒷받침되지 않으면? 톱니바퀴가 빠져버리는 현상이 생깁니다. 학군지에서의 생활 수준을 버티지 못하는 거죠. 옆집 앞집 뒷집 모두 어느 학원이 좋다 하고 방학마다 어느 학원 특강을 보낼까 고민하고 있는데, '우리 집은 스스로 학습을 강조한다'고 말하며 학원비가 부담되어 학원을 보내지 않는다면? 아마 부모 입장에서는 여러모로 버티기 어려울 겁니다.(물론 실제로 자기주도학습만으로도 충분히 잘하는 학생도 있습니다.) 그래서 학군지에서는 이러한 사교육 수요를 감당할만한 경제력이 필요합니다.

앞에서 설명한 것처럼 1년에 몇 천만원씩 자녀 1명당 학원비를 감당해야 할 수도 있는데, 이 정도의 수준의 경제력이라면 그만큼 자산이 많거나 고소득자일 가능성이 높습니다. 당연히 이들이 원하는 주택의 수준도 높을 것이며 높은 주택 가격에 대한 지불능력 역시 충분하다고 볼 수 있습니다. 결국 경제력이 뒷받침되는 교육수요에 의해 학군지 프리미엄이 무너지지 않고 계속 쌓여가는 것이며, 이곳의 주택가격 역시 계속해서 높아지는 것입니다.

5.6 대한민국 학군 1번지, 대치동 학원가

대치동은 70년대 강남개발 당시 최고의 수혜를 받은 곳 중 하나입니다. 1972년 강북의 개발을 제한하고 강남 개발에 자원을 집중시키기 위해 '특정시설제한구역' 조치를 시행하였습니다. 사대문 안쪽에서는 백화점, 시장, 유흥업소, 식당 등의 허가를 받기 어려워진 반면, 강남구에는 규제도 없고 세금까지 감면해주었습니다. 결국 기업과 가게는 자연스럽게 강남으로 이전하게 되었죠. 이때 소위 '명문학교'까지 강남으로 이전하게 되면서 '강남8학군'을 형성하게 되었습니다. 강남으로 새로 이전해 온 대표적인 학교들로는 경기고, 휘문고, 서울고, 경기여고, 숙명여고 등이 있는데, 이런 학교 학생들의 성취수준은 최상위권이며, 내신에 있어서도 최상위권이 아니면 버티기 어렵다고 합니다.

대치동 학원가는 대한민국 학군 1번지라는 별명에 걸맞게 초등부터 고등까지, 단순 학과 보충부터 특목고, 논술, 특례입학 등 모든 분야의 학원이 있습니다. 대로 변에는 임대료 문제로 인해 대형 프랜차이즈 학원들이 자리잡고 있고, 영세한 사업형태로 운영되는 소규모 학원들은 대치4동 빌라촌 부근 소규모 빌딩에 입점해 있습니다. 대형학원부터 중형, 소형까지 그 형태와 규모가 다양하다고 할 수 있습니다.

▲ [그림41] (좌) 호갱노노 대치동 학원가, (우) 야간 대치동의 거리풍경

대부분의 학원이 수업을 마치는 저녁 10시, 대치동 학원가는 학생들로 북적이기 시작합니다. 위 사진은 21년 7월의 어느날, 오후 10시쯤 대치동 은마아파트 사거리에서 대치동 학원가를 바라본 모습입니다. 당시 코로나19 신규 확진자가 1,600명에 달했던 시기였음에도 불구하고 저렇게 많은 학생들이 몰리는 모습을 보면 대치동의 위세가 어느 정도인지 알 수 있습니다. 요즘도 여전히 저녁 10시만 되면 한산했던 거리가 학생들로 북적입니다. 그리고 이 아이들을 태우기 위한 라이딩 차량들로 인해 도곡로 양방향은 주차장이 되어버리곤 하죠.

5.7 대치동의 아성을 넘보는 2인자, 목동 학원가

목동의 네임 밸류는 사실 '목동 신시가지아파트'가 만들었다 해도 과언이 아닙니다. 원래 목동은 비만 오면 상습 침수되는 지역이었습니다. 하지만 1986년 서울 아시안게임과 1988년 서울올림픽을 유치하면서 그 재원 마련을 위해 목동을 개발하게 되었죠. 그래서 저층과 고층이 어우러지는 저밀도 단지를 쾌적하게 조성하여 중산층이 거주할 고급 아파트촌을 만들었습니다. 그 결과 여의도에 근무하는 고소득, 전문직종의 중산층이 많이 유입되었고 유흥시설 없는 베드타운으로 만들어졌습니다. 그 덕분에 조용하고 학구적인 교육문화가 정착되었고 지금의 목동 학원가가 형성되었습니다.

▲ [그림42] 목동 학원가 거리풍경

▲ [그림42-1] 호갱노노 윗단지, 아랫단지 학원가

전통적으로 목동 학군은 오목교역과 목운초 일대 그리고 목5동의 파리공원에서 월촌중 사이를 최고로 칩니다. 지역 내 여기저기 학원이 많이 있긴 하지만 이곳에 집중적으로 몰려있는 편입니다. 그리고 초등학교와 중학교 교육이 매우 강세를 보이는 특징이 있으며, 학원가 역시 특목·자사고 등 고등학교 입시에 특화되어 있습니다.

5.8 제2의 '대'치동 = '소'치동, 중계동 학원가

서울의 3대 학원가를 뽑으라 하면 강남의 대치동, 양천의 목동,

마지막으로 노원의 중계동입니다. 그래서 제2의 대(大)치동이라는 별명으로 '소(小)치동'이라는 별명이 있기도 합니다. 정확하게는 중계동 은행사거리 주변의 학원가를 말하는데 이 중계 학원가의 역사는 서라벌고와 인연을 함께 합니다.

중계동의 유명한 고등학교는 대부분 남고(청원고, 재현고, 대진과고 등)라는 특징이 있는데, 서라벌고 역시 사립 남자 고등학교입니다. 이 학교는 1998년 3월 돈암동에서 이전해 왔습니다. 스파르타식 수험생 관리의 표본으로 유명했는데, 이전하기 전 돈암의 서라벌고 명성은 대단했습니다. 그 당시에 동네에 공부 좀 한다는 학생들은 모두 서라벌고를 갔다는 이야기가 있으며, 81년 입시결과를 보면 서울대에 59명을 합격시키기도 했습니다. 그 당시 경기고가 47명이었던 것을 생각하면 실로 대단한 성적이 아닐 수 없습니다.

파이낸셜뉴스 ⊕구독

[현장르포] 서울 노원구 중계동 은행사거리 '제2 대치동'

입력 2007.02.22. 오후 5:54   기사원문

▲ [그림43] (좌) 파이낸셜 뉴스, 2007년 2월 22일 기사,
(우) 호갱노노 은행사거리 학원가

이러한 서라벌고가 중계동으로 이전하게 되면서 학군지로서 중계동 은행사거리의 위상은 한 단계 더 높아졌으며, 이전하고 3년 정도 지난 후 학원가가 본격적으로 형성되기 시작하였습니다.

중계동 학원가의 큰 특징은 어디나 그렇듯 이 지역을 기반으로 성장한 대형학원이 적지 않다는 점과 영세한 우량학원들이 많다는 점입니다. 그리고 하나를 더 꼽자면 저렴한(?) 아파트 시세입니다. 하지만 이것도 대치나 목동에 대비했을 때 이야기지 비교적 집값이 저렴한 강북에 있다 하더라도 은행 사거리 인근의 시세는 노원구 내에서 비싼 편이긴 합니다.

5.9 입지 순위를 뛰어넘을 수 있게 하는 학군지 프리미엄

그렇다면 이렇게 유명한 학군지의 아파트의 가격 수준이 어느 정도인지 알아보겠습니다. 대치동의 경우, 대장은 '래미안대치팰리스'입니다.

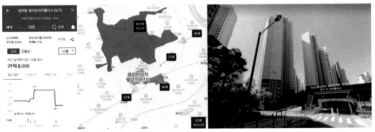

▲ [그림44] (좌) 래미안대치팰리스 가격 및 위치, (우) 래미안대치팰리스 전경

래미안대치팰리스의 입지를 보면 기본적으로 강남구 안에 위치하면서 아래에는 더블역세권인 도곡역(3호선+수인분당선)과 대치

역(3호선)이 있고 위쪽으로는 한티역(수인분당선)이 있습니다. 그리고 무엇보다 대치동 학원가에 인접한 입지이면서 비교적 신축이기 때문에 현재 대치동의 대장 아파트로서 인정받고 있습니다.

▲ [그림45] 래미안대치팰리스 이상의 평당가 아파트 위치 (23년 6월 기준)

23년 6월 기준 33평 실거래가 29.8억입니다. 우리나라 최고 학군지 대치동의 대장과 견줄만한 혹은 그 이상의 단지를 찾기 위해 필터링(24~34평, 28억 이상, 500세대 이상)해보면? 몇 개 나오지 않습니다.

한강 이북에는 용산구 이촌동의 한강맨션이 유일하고, 한강 이남에는 잠원동과 반포동의 신축과 재건축 예정단지, 서초동의 서초그랑자이, 삼성동의 래미안라클래시 정도가 있습니다. 모두 실거래 평당가 기준 래미안대치팰리스보다 높은 단지들인데, 이는 1주택 갈아타기라면 위에서 언급한 단지들 외에는 더 갈 곳이 없다는 뜻입니다. 그만큼 래미안대치팰리스는 우리나라에서 손에 꼽을 정도로 좋은 입지의 아파트라는 거죠.

주요 일자리 지역인 GBD를 직주근접으로 연결할 수 있고 지하철역이 도보 5분 거리에 위치하고 있으며, 플러스 알파로 강남8학군과 양질의 학원가까지 갖췄기 때문에 이러한 가격을 인정받는다고 볼 수 있습니다.

▲ [그림46] (상) 중계동 청구3차 가격 및 위치, (하) 청구3차 전경

다음은 중계동 학원가의 대장, '청구3차'입니다. 역시나 중계동

학원가가 위치한 은행사거리에 가장 가까운 위치에 자리잡고 있으며 23년 6월 31평형 실거래가 10.7억입니다. 평당가가 약 3,400만원 정도인데 이 정도면 서울 내 비교할만한 아파트를 많이 찾을 수 있을 것 같습니다.

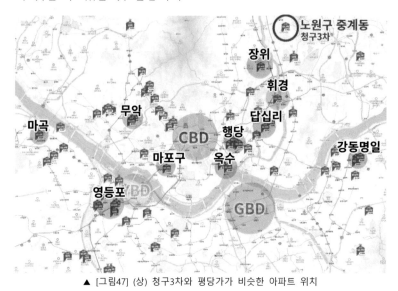

▲ [그림47] (상) 청구3차와 평당가가 비슷한 아파트 위치

■ 청구3차(32평) ╳
■ 꿈의숲아이파크(34평A) ╳ **성북구 장위동**
■ 휘경SK뷰(35평B,E) ╳ **동대문구 휘경동**
■ 래미안위브(34평) ╳ **동대문구 답십리동**

■ 청구3차(32평) ╳
■ 행당대림(32평) ╳ **성동구 행당동**
■ 극동그린(33평) ╳ **성동구 옥수동**
■ 도화현대1차(32평) ╳ **마포구 도화동**

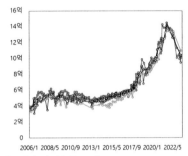

▲ [그림47] (하) 비교군 아파트와의 가격흐름 그래프

호갱노노에서 필터링(30~36평, 10억~11억, 500세대 이상)을 하여 중계동 학원가의 대장 청구3차와 비슷한 가격대의 단지를 찾아보았습니다. 위의 그림과 같이 다양한 지역의 아파트가 나오는데, 지도상에 표시한 단지들의 위치를 보면 주요 일자리 지역에 훨씬 더 가까운 곳들도 많다는 것을 알 수 있습니다.

- **[성북구]** 장위뉴타운 꿈의숲아이파크, 보문동6가 보문파크뷰자이
- **[동대문구]** 답십리동 래미안위브, 이문휘경뉴타운 휘경SK뷰
- **[성동구]** 행당동 행당대림, 행당동 서울숲한신더휴
- **[마포구]** 도화동 도화현대1차
- **[영등포구]** 도림동 영등포아트자이

아래 그래프에서 보시는 바와 같이 중계동이 속한 노원구는 위

에서 언급된 구 중에서 가장 낮은 평균 매매가격을 보이는 지역입니다. 이러한 노원구 내에서 30년이 다 되어 가는 구축이 10억 이상의 가격을 유지(23년 6월 기준, 3,452만/평)하면서, 노원구의 대표적인 신축인 포레나노원(3,235만/평)이나 노원센트럴푸르지오(2,724/만)보다 비싼 것을 보면, 청구3차 가격이 노원구 내에서도 상당히 높다는 것을 알 수 있습니다. 실제로 2016년 이후 노원구에서 거래된 국평 중에 청구3차가 가장 비싸게 거래되었으며, 노원구 최고가 거래 1,2,4위 모두 중계동 학원가 인근에 있다는 것을 확인할 수 있습니다.

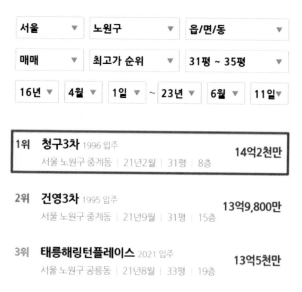

서울 ▼	노원구 ▼	읍/면/동 ▼
매매 ▼	최고가 순위 ▼	31평 ~ 35평 ▼

| 16년 ▼ | 4월 ▼ | 1일 ▼ | ~ | 23년 ▼ | 6월 ▼ | 11일▼ |

1위 청구3차 1996 입주
서울 노원구 중계동 | 21년2월 | 31평 | 8층   **14억2천만**

2위 건영3차 1995 입주
서울 노원구 중계동 | 21년9월 | 31평 | 15층   **13억9,800만**

3위 태릉해링턴플레이스 2021 입주
서울 노원구 공릉동 | 21년8월 | 33평 | 19층   **13억5천만**

4위 중계주공5단지 1992 입주
서울 노원구 중계동 | 21년6월 | 31평 | 11층   **13억**

▲ [그림48] 16년 4월 이후, 노원구 최고가 아파트

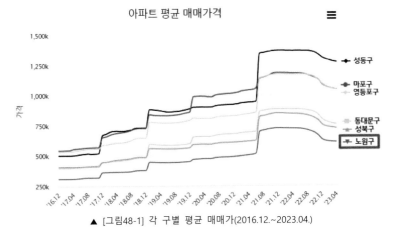

▲ [그림48-1] 각 구별 평균 매매가(2016.12.~2023.04.)

 청구3차가 중계동 학원가의 대장이긴 하지만 노원구의 아파트로 마포구나 성동구의 같은 평형/비슷한 연식의 초역세권 아파트에 진입할 수 있다는 것 자체가 놀라운 사실입니다.(성동구 행당동의 행당대림, 5호선 행당역 초역세권) 이러한 점을 볼 때 학군이라는 입지요소는 해당 지역의 평균 가격을 뛰어넘을 수 있게 해주며, 입지 순위를 뒤바꿀 수 있는 프리미엄을 제공해 주기도 한다는 것을 알 수 있습니다.

6 | 입지요소#04

삶의 질을 높이는 생활 인프라

일자리는 성인들에게 유효하고, 학군은 학생에게 유효한 요소입니다. 이에 반해 교통이나 생활 인프라는 가구 구성원 모두에게 유효한 요소이며, 실제 사람들의 삶을 직접적으로 편리하게 만들어줍니다. 의식주 중에서 집이 '주'에 해당한다고 할 때, '의'와 '식'은 절대적으로 생활 인프라. 즉, 상권에 의존합니다. '집'의 위치가 결정되면 나머지 '입는 것(쇼핑)'과 '먹는 것(외식)'의 편의는 집 주변 상권의 영향을 직접적으로 받는데, 내가 사는 집 주변의 상권과 생활 편의시설이 잘 갖춰져 있다면 당연히 쇼핑이나 외식은 편리할 것입니다. 아무리 구독경제가 발달하고 새벽 배송이 일반화된 세상이라지만 여전히 슬세권의 가치는 높습니다.

우리 집에서 엘리베이터만 타고 내려가면 마트와 쇼핑몰이 있고, 올라오는 길에 1층 스타벅스에서 커피 한잔 사 들고 온다고 해봅시다. '살기 참 좋겠다'라고 생각이 먼저 듭니다. 사람들 눈에는 아파트의 외관과 그 주변의 깔끔한 상점들, 카페, 그리고 마트가 입점해 있는 모습이 가장 먼저 들어옵니다. 그리고 그런 모습들이 눈에 띄는 순간, 사람들은 이곳 상권을 누리며 행복하게 사는 나의 모습을 상상할 것입니다.

"앨리웨이 광교, 지역 문화·상권 활성화 모델로 만들겠다"

입력 2019.04.29 17:51   수정 2019.04.30 02:37   지면 A27   가가

▲ [그림49] 수원의 광교 아이파크 및 앨리웨이 쇼핑몰

어떤 동네에 가도 상권은 다 형성되어 있습니다. 업무지구나 택지지구가 생기면 거주인구 및 유동인구가 증가하게 되고, 자연스럽게 이들을 상대로 하는 가게나 상가가 형성됩니다. 이 때 그 지역의 특성과 지형적 구조, 교통환경, 거주민의 생활패턴 및 가구구성에 따라 상권의 성격이 만들어집니다.

이러한 '상권'의 형성과정과 특징을 서울과 경기도에서 각각 하나씩 살펴보고, 해당 지역의 아파트 가격은 어느 정도 수준인지 확인해 보겠습니다.

6.1 드넓은 평지 위의 교통 허브가 만들어낸 상권, 영등포

'영등포'하면 영등포'구'가 있고 영등포'동'도 있지만 흔히 사람들이 말하는 영등포는 바로 영등포'역'과 그 주변 상권을 말합니다. 영등포는 오랫동안 서울 서남권의 교통요지이자 중심지로서

의 역할을 해왔기 때문입니다.

영등포역은 1899년 경인선 개통과 함께 시작된, 역사가 깊은 역입니다. 철도교통을 살펴보면 일반열차의 서울 서남권과 경인권을 연결하는 곳이며 거의 모든 무궁화, 새마을, KTX가 집결하는 곳입니다. 또한 인근의 2호선(신도림역)과의 연계를 통해 서울 동남권을 연결시켜주고 있으며, 앞으로는 신안산선까지 들어올 예정입니다.

도로 교통 측면에 있어서는 영등포역 앞 경인로를 통해 서부간선도로, 올림픽대로, 남부순환로 등 대표적인 도시고속도로와 연결되어 있으며, 여의도, 마포대교를 통해 강변북로 및 강북지역과도 연결됩니다. 이른바 '교통의 허브'입니다.

▲ [그림50] (좌) 1899년 영등포역,
(우) 2010년 리모델링 후의 영등포역 (한국 최초의 민자역사)

이곳은 오래전부터 평야가 넓게 펼쳐져 있던 곳이었습니다. 산과 언덕이 많은 서울 도심 내에서는 참 드문 경우였죠. 그래서 1970~80년대부터 가까이는 영등포역 위쪽의 문래동, 당산동 지역에, 멀리는 구로공단까지 수 많은 공장들이 들어섰습니다. 지리적으로 볼 때 평야를 갖고 있다는 것은 큰 장점이지만 이런 장점 때문에 너무 일찍부터 개발되었습니다. 그 결과 시간이 많이 지난 현재는 노후되고 교통이 복잡한 동네로 인식되고 있습니다.

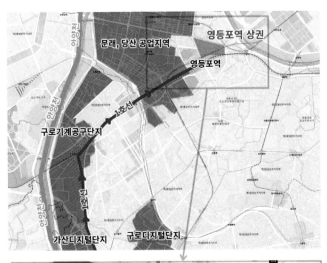

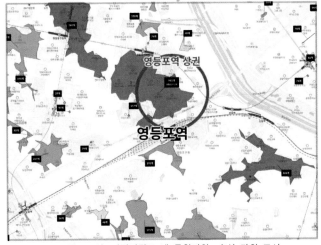

▲ [그림51] (상) 지적편집도 내 공업지역/1호선 라인 표시,
(하) 호갱노노 상권탭

드넓은 공업지대를 아래위로 끼고 있으면서 교통의 허브 역할을 하는 영등포역 주변은 당연히 상권이 발달할 수 밖에 없었습니다. 왜냐하면 철도를 이용해 다른 지역으로 이동하고자 하는 유동인구가 많은 것은 기본이고, 수많은 경공업 공장에서 일하는 근로자 및 인근 주거지의 주민까지 주요 고객층으로 확보할 수 있었기 때문입니다. 또한 안양천을 경계로 우측지역의 수요를 모두 흡수할 수 있었고, 지하철 1호선은 인근 지역 주민들이 영등포 상권을 편리하게 이용할 수 있도록 접근성을 높여주었습니다. 이러한 이유들 덕분에 영등포 상권은 인근 지역 내에서 가장 큰 상권으로 성장할 수 있었습니다.

▲ [그림52] 호갱노노 경사탭, 경사없는 평지

영등포 상권의 유흥가는 주로 역 교차로에서부터 영등포시장역 쪽으로 뻗어있는 영중로 우측에 형성되어 있는데, 여전히 이 곳에는 다양한 상점들로 가득 차 있습니다. 특히 술집, 모텔, 식당, 노래방 등이 많죠. 주로 나이가 어느 정도 있는 30~40대 이상 직장인들이 많이 이용하는데, 그 이유는 과거 한국마사회 영등포 지사 건물이 이쪽에 있었기 때문입니다. 경마를 하고 나온 사람들이 이 상권에서 소비를 많이 했으며, 실제로 전통(?)적인 한식 메뉴의 식당들이 많은 편입니다. 반면 10대와 20대는 영등포 지하상가와 신세계백화점, 타임스퀘어를 많이 이용하는 편입니다. 같은 상권이지만 이렇게 나이대별로 경계가 생기기도 합니다.

그리고 이런 교통의 요지인 중심역에는 노숙인이 모여듭니다. 그나마 타임스퀘어가 들어오면서 전보다는 덜하지만 여전히 주변에는 낙후된 골목들이 남아 있습니다. 서울5대 쪽방촌 중 하나인 영등포 쪽방촌도 아직 남아있죠.

하지만 현재 영등포는 과거의 복잡하고 노후된 이미지를 탈피하기 위해 많이 노력하고 있으며, 정비사업도 활발히 진행되고 있습니다. 특히 영등포시장역 주변에서 노후저층주택을 재개발하려는 움직임이 활발합니다. 이곳은 여의도에서 물리적으로 매우 가까운 거리(지하철 두 정거장)이기 때문에 앞으로 더 많은 시세 상승이 기대되는 지역입니다.

6.2 YBD에서 두 정거장 떨어진 신축 아파트의 힘

영등포구의 주거 환경 중 가장 큰 특징은 여의도와 비 여의도 간의 격차가 매우 크다는 점입니다. 개발 초기부터 여의도는 중산층과 상류층을 위한 대규모 아파트 지역으로 조성된 반면, 경부선 이남 지역인 신길, 대림, 도림동은 저층 단독주택 지역으로 형성되었습니다.

  그리고 지금은 많이 노후화되기도 했죠. 특히 대림동과 도림동에는 외국인 노동자들이 많이 거주하고 있으며, 대림동하면 차이나타운으로 유명합니다. 하지만 이러한 노후단독주택 밀집지역을 중심으로 재개발 바람이 불면서 영등포는 새로운 주거 단지로 변화해 가고 있습니다. 영등포역 아래의 신길뉴타운과 공공재개발사업, 그리고 영등포시장역을 중심으로 한 영등포뉴타운까지. 과거의 노후된 환경에서 깔끔한 신축 대단지로 변화하고 있습니다.

▲ [그림53] 아크로타워스퀘어 조감도 및 전경

▲ [그림53-1] 영등포역/영등포시장역 인근 정비사업

영등포뉴타운 1-4구역에 입주한 아크로타워스퀘어(이하 아타스)를 보면 영등포 구시가지의 미래를 엿볼 수 있습니다. 현재 2023년 6월 기준, 36평형이 14억의 실거래가를 찍었는데 3.3㎡당 4,000만원 정도의 가격입니다. 상당한 가격대죠.

현재 영등포의 신축, 아타스의 가격 수준을 파악하기 위해 비슷한 평당가의 아파트를 찾아보겠습니다. 15년 이내의 연식이면서 33~34평형을 기준으로 필터링 하였습니다.

지도에서 빨간색 원으로 표시한 단지가 아타스입니다. YBD에 매우 가까이에 위치하고 있죠. 하지만 비교군 아파트의 위치를 살펴보면, 이렇게까지 주요 업무지구에 딱 붙어있는 아파트는 보이지

앉습니다.(2023년 6월 기준)

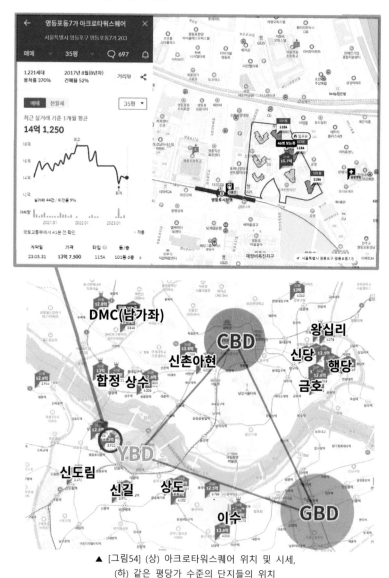

▲ [그림54] (상) 아크로타워스퀘어 위치 및 시세,
(하) 같은 평당가 수준의 단지들의 위치

3대 업무지구에서 이만큼 가까운 신축을 같은 평형 및 15년 연식 이내에서 찾기 어려우며, 반대로 표현하자면 그만큼 아타스의 입지가 좋다는 뜻이기도 합니다.(다만 인근 환경이 노후합니다.) 그나마 신촌, 아현 지역의 마포센트럴아이파크(4,029만/3.3㎡), 힐스테이트신촌(4,059만/3.3㎡)이 CBD에 가까우면서 신축이라 그나마 경쟁 단지로 보입니다. 즉, 14억 선에서 찾아볼 수 있는 단지들 중에서 더 좋은 입지의 단지를 찾기 쉽지 않으며, 이보다 더 좋은 입지를 가기 위해서는 더 많은 자금이 필요하다고 볼 수 있습니다.

 영등포는 오래 전부터 교통이 편리한 지역이었기 때문에 자연스럽게 상권이 형성되었지만 주택의 '상품성' 때문에 그 이점을 살리지 못했습니다. 하지만 아타스와 같이 정비사업으로 인해 상품성까지 갖춘 아파트가 등장하면서 10억 초중반대 가격에서는 경쟁상대가 별로 없을 정도로 서울 서남부의 강자로 떠오르고 있습니다. 앞으로 영등포시장역과 영등포역을 중심으로 재개발이 진행되어 더 많은 신축 단지들이 들어선다면 영등포의 가치는 더 올라갈 것으로 예상됩니다.

6.3 학생과 40대 부모가 유독 많은 평촌신도시

 이번에는 경기도에 있는 상권 중 범계역 상권을 살펴보겠습니다. 범계역 상권의 역사는 1기 신도시가 처음으로 등장했던 1990년대부터 시작되었습니다. 범계역이 있는 평촌신도시는 노태우 정부 시절 중동, 산본과 함께 발표된 신도시입니다. 계획 때부터 지구 전체가 네모반듯하게 정비된 도시로 시작했기 때문에, 구도심에서 자연발생적으로 생긴 영등포 상권과 이곳 범계역 상권은 많이 다를 수 밖에 없습니다.

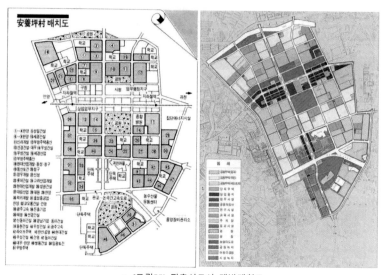

▲ [그림55] 평촌신도시 개발계획도

도시계획도를 살펴보면 서울 지하철 4호선이 평촌 신도시 중심을 관통하여 지나가고, 신도시의 남쪽을 수도권 제1순환고속도로가 관통하고 있습니다. 그리고 도시 가운데에 가로로 뻗은 도로를 중심으로 시청을 포함한 각종 업무 행정지구가 배치되어 있으며, 그 주변으로 상업지구가 넓게 펼쳐져 있습니다. 마지막으로 상업지구 위 아래에 아파트가 배치되어 있죠.

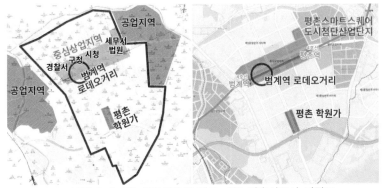

▲ [그림55-1] (좌) 평촌신도시 지도, (우) 평촌신도시 지적도

 평촌신도시는 1990년대 당시 시가지 내의 미개발지를 개발하여 신도시를 건설하였는데, 인근의 정비되지 않은 주택 단지들과 다른, 깔끔한 새 아파트들로 도시가 채워졌습니다. 입주 당시 이러한 신도시의 매력에 매료된 신혼부부 혹은 '어린 자녀와 함께 사는 가족들'은 평촌으로 많이 유입되었으며, 그 결과 30~40대 성인 및 학생 자녀를 중심으로 도시가 형성되기 시작했습니다. 그 결과, 자연스럽게 30~40대 성인을 대상으로 하는 상권은 범계역 인근에 형성되었고, 학생을 대상으로 하는 상권은 평촌 학원가 주변에 형성되었습니다.

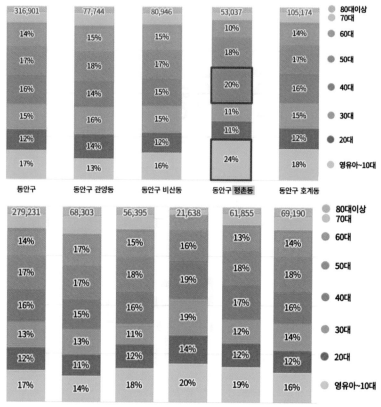

▲ [그림56] 안양, 광명 동별 인구연령별 비율

실제로 안양 평촌의 인구 연령별 비율을 살펴보겠습니다.

- 다른 동 대비 평촌동의 '영유아~10대 비율'이 압도적으로 높다.
- 평촌동의 '영유아~10대+40대 비율'을 합하면 전체의 45%이다.
- 안양의 상급지인 광명과 비교해도 평촌동의 '영유아~10대+40대' 비율이 더 높다.

그래프를 보면 '영유아~10대' 비율이 높으면 '40대'의 비율도 높은 것을 알 수 있습니다. 이는 학생 자녀의 부모세대가 대부분 40대이기 때문에 학생 인구가 많으면 그만큼 부모 세대의 인구도 많기 때문입니다.

평촌동의 '영유아~10대' 인구 비율을 보면 전체의 24%를 차지하고 있습니다. 그 동 인구의 1/4이 학생이라는 뜻입니다. 그리고 여기에 '40대' 비율을 합치면 무려 44%입니다. 그 동네 인구의 거의 절반이 학생과 그들의 부모들이라는 뜻입니다. 안양보다 상위 급지인 광명과 비교해도(학령기 인구가 많은 철산과 비교해도) 평촌동의 '영유아~10대 및 40대' 연령 비율이 더 높으며, 경기도 내에서 평촌동 만큼이나 학령기 인구 비율이 높은 지역으로는 수원 망포동, 성남 판교동, 남양주 다산동, 화성시 청계동(2동탄 시범마을) 정도가 있습니다. 위 지역들은 공통적으로 신축이 많은 지역이며 상대적으로 그렇게 오래되지 않은 신도시 혹은 택지지구입니다. 그만큼 정주여건이 양호하기 때문에 사람들이 학령기 자녀를 키우는 비교적 젊은 부모들이 선호하는 곳이라고 볼 수 있습니다. 이에 반해 평촌은 위의 지역보다 오래된 오래된 도시이며 아파트도 더 낡았습니다. 그럼에도 영유아~10대 및 40대 인구비율이 높은 것은 1기 신도시로서 오랜 기간 동안 갖춰진 우수한 인프라와 학군이 아파트의 상품성을 극복할 만큼의 메리트를 갖고 있기 때문으로 볼 수 있습니다.

위의 그래프에서 확인한 바와 같이, 지역 내 '영유아~10대'가 가장 많기 때문에 이들을 타겟으로 한 상권이 형성될 수 밖에 없습니다. 학생은 경제활동을 하지는 않지만, 경제력 있는 40대 부모가 늘 배후수요로 있기 때문에 두터운 수요층을 유지할 수 있죠. 이러한 내용들을 감안한다면 범계역 상권이 그렇게 활성화되어 있는 것과 국내 학원가 규모 2위가 평촌이라는 사실이 이해됩니다.

6.4 평촌신도시도 베드타운인가?

1기 신도시의 대부분은 베드타운(Bed-town)으로 되어 간다는 평가를 받고 있습니다. 그나마 판교가 가까운 분당을 제외하면, 나머지 1기 신도시들은 자족 기능을 잃고 점점 서울의 베드타운화 되어가고 있습니다. 그렇다면 평촌은 어떨까요?

평촌은 계획도시이기 때문에 처음부터 업무시설이 들어설 자리가 마련되어 있었습니다. 역 근처에 오피스 지구 및 법원을 포함한 관공서가 들어설 자리가 있었고, 동시에 공업지역 역시 도심 가까이 있었기 때문에 주거지 인근에 산업단지들이 개발될 수 있었습니다.

▲ [그림57] 평촌신도시 지적편집도

평촌의 지적 편집도를 살펴보면 범계역 좌측과 평촌역 우측에 공업지역이 넓게 펼쳐져 있는 것을 볼 수 있습니다. 영등포에서도 보았듯이 공업지역은 주로 평지인 경우가 많은데, 실제로 평촌(坪村)이라는 지역의 명칭에서도 '평(坪)'자는 '평평하다'라는 뜻입니다.

평촌역 우측 지역은 원래 대한전선 안양공장 부지였습니다. 그런데 땅값이 상승하면서 대한전선이 공장을 짓는 대신 그 땅을 매각하였고, 공장은 충남 당진에 짓게 되었습니다. 그리고 평촌의 공장부지에는 새롭게 '평촌스마트스퀘어도시첨단산업단지'가 조성되었고 현재는 지식산업센터와 같이 깔끔한 현대식 산업시설들이 들어서 있습니다.

반대쪽인 왼편에 위치한 안양산업단지는 우측의 첨단산업단지와는 달리 오래전부터 있었던 공업지역으로서 기계장비, 금속, 제조업, 자동차 부품과 관련된 공장들이 많이 있습니다. 현대식 산업단지는 아니지만 안양지역의 주요 일자리 지역 중 하나였습니다. 이렇듯 평촌은 도시 양쪽에 산업단지가 있고, 동시에 신도시 한 가운데 관공서가 밀집해 있기 때문에 산본이나 중동에 비해 자족기능이 더 잘 갖추어진 도시로 평가받습니다.

또한 대한전선 본사를 포함해 펄어비스(게임 개발사), LG U+평촌메가센터, 휴마시스(진단키트 제조기업) 등 중견기업들이 이곳에 있으며, 앞으로 인근의 군부대를 이전시키고 '서안양 친환경 융합 스마트밸리(안양박달스마트밸리)'를 조성할 계획도 있는 만큼, 평촌의 자족기능이 더 강화될 것으로 예상됩니다.

하지만 판교처럼 인근 지역에서 많은 사람들이 일하러 올 정도로 규모있는 산업단지는 아닙니다. 또한 평촌에는 서울을 포함한 주변 도시의 일자리로 출퇴근하는 인구 역시 많다는 점도 기억해야 합니다.

6.5 범계역 로데오거리가 임대료 전국 4위인 이유

앞에서 살펴보았듯이 평촌은 40대 직장인과 학생이 가장 많은 인구를 차지하고 있습니다. 먼저 직장인들의 소비 동선을 볼 때, 이곳에서 일하는 직장인뿐만 아니라 이곳에 거주지를 둔 직장인들 모두 범계역 상권에서 많이 소비하는 편입니다. 물론 범계역이나 평촌역에서 4호선을 타고 다른 상권으로 이동하여 소비할 수도 있습니다. 서울 방면으로 살펴보면 한 정거장 거리에 인덕원 상권이 있지만 상대적으로 규모가 작고 범계역 상권에 비해 밀집도가 떨어집니다. 그리고 인근에 규모가 더 큰 안양역 상권도 있지만 쾌적성을 생각할 때는 범계역 상권이 더 우위라고 볼 수 있습니다. 그리고 무엇보다 지하철로 안양역 상권을 가기 위해서는 금정역까지 내려갔다가 1호선으로 환승한 후 다시 올라가야 합니다. 불편하죠. 결국 4호선을 기준으로 했을 때, 사당까지 가야 제대로 된 상권이 나오기 때문에 사람들은 범계역 상권으로 더 몰리게 됩니다.

▲ [그림58] 범계역 로데오거리

범계역 상권을 보통 '범계역 로데오거리'라고 부릅니다. 이곳은 NC백화점, 킴스클럽, 뉴코아 아울렛 등의 대형 상권과 함께 시작했던 곳이며 2012년 롯데백화점이 입점하면서 한 번 더 도약했던 경기도의 대표상권입니다. 4호선 범계역 2번 출구부터 중앙광장까지를 A-zone, 중앙광장에서 평촌대로까지를 B-zone으로 구분합니다. A-zone에는 휴대폰 대리점, 병원, 미용실, 뷰티 숍, 베이커리, 카페 등이 있으며, B-zone에는 주로 음식점들(주점, 고깃집, 이자카야 등)이 있습니다.

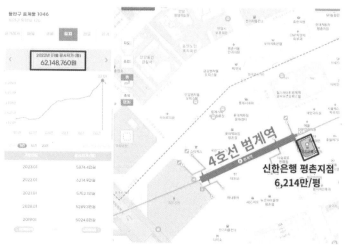

▲ [그림59] (좌) 범계역세권 신한은행 공시가격

▲ [그림59-1] 사당역 역세권 올리브영 사당점 공시가격

시세를 따지자면 당연히 지하철역에서 가까울수록 비쌉니다. 범계역 초역세권의 신한은행의 공시가는 2022년 1월 기준 평당 6,214만원입니다. 2020년 1월 기준 평당 5,289만원이었는데 1년에 평당 900만원씩 오른 셈입니다. 이는 공시가 기준 안양에서 거의 최고수준이며, 사당역 10번 출구에서 1분 거리에 있는 올리브영 건물의 땅보다 보다 더 비싼 공시가격입니다.(평당 6,066만원) 이렇게 비싼 토지가격을 인정받을 수 있는 것은 그만큼 상권을 이용하는 유효수요가 많다는 뜻이며, 임대료를 많이 받을 수 있는 입지라는 의미이기도 합니다.

범계역 로데오거리의 임대료 수준은 전국 10위 수준입니다. 웬만한 서울 주요 상업지의 평균 임대료 보다 비싼 수준입니다. 아래 그래프는 한국부동산원에서 제공하는 '지역별 임대료'를 신표본 기준으로 나타낸 자료입니다. 22년 1분기부터 23년 1분기까지의 주요 상권의 임대료를 살펴보겠습니다.

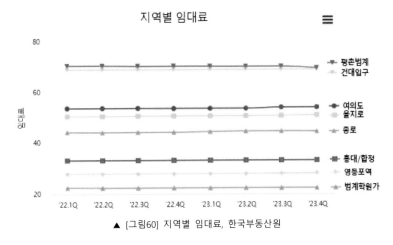

▲ [그림60] 지역별 임대료, 한국부동산원

평촌범계의 임대료가 가장 비싼 것을 알 수 있습니다. 서울의 유명 상업지와 비교해도 더 비싸며 건대입구와 그나마 비슷한 임대료 수준입니다. 경기 평균과 비교했을 때에는 두 배 이상 비싼 임대료입니다.

지역	1㎡ 당 임대료(천원)	지역	1㎡ 당 임대료(천원)
을지로	507,000	건대입구	689,000
종로	445,000	사당	674,000
여의도	536,000	경기평균	306,000
영등포역	579,000	광명철산	456,000
홍대/합정	333,000	**평촌범계**	**702,000**

이렇게 임대료가 비싼 이유는 범계역세권 근처 단일 상권이기 때문입니다. 이곳 범계역 로데오거리가 아니면 대부분 주거지 혹은 관공서이기 때문에 중소상점을 낼 만한 구역이 거의 없습니다. 또한 평촌의 아파트 단지들이 범계역 상권을 둘러싼 형태로 배치되어 있어 범계역 상권은 항아리 상권이라고 할 수 있습니다. 인근의 거주민 수요가 이곳 범계역 상권을 중심으로 모여들 수 밖에 없습니다. 이러한 이유들로 인해 범계역 상권은 국내 최고 상권 중 하나로 성장할 수 있었습니다.

비록 안양 구도심의 '안양1번가'에 비해 면적규모는 작지만 상점 밀집도가 높아 유동인구가 하루 20만 명에 달합니다. 그래서 2016년에는 경기도 상권조사에서 3대 외식산업 매출순위가 경기도내 1~2위를 하기도 했었고, 2018년에는 임대료가 국내 4위까지 했었습니다. 신도시 독점상권의 힘이 대단하다는 것을 알 수 있습니다.

이러한 범계역 외에 또 다른 상권을 찾으라고 한다면 바로 '평촌 학원가'의 상권입니다. 평촌 학원가는 한때 규모 및 매출액 기준 전국 2위(학원/교습소 기준)를 기록할 정도로 규모가 큰 학원가입니다. 경기도권에서는 이만한 학원가가 없죠. 학원가는 범계역과 다소 떨어져 있어 자연스럽게 범계역 상권과는 구분된 별개의 상권으로 형성되었으며, 실제 업종들도 다릅니다. 각종 유흥업소는 모두 범계역 상권에 몰려있는데 재밌는 점은 범계역 상권에는 '롯데리아, 맥도날드, 버거킹'이 단 한곳도 없습니다. (근데 맘스터치는 있습니다.) 이런 패스트푸드점은 모두 평촌 학원가의 1층에 몰려 있죠. 그 외에 평촌학원가에는 편의점이나 소형 마트, 안경점, 문구점, 분식집, 카페 등 학생들이 이용할만한 상점들 위주로 있습니다.

6.6 지형, 도시구조, 거주민의 특성에 따라 달라지는 상권

위에서 보신 영등포와 범계의 상권을 비교해 볼 때, 공통점은 '지형'과 '교통환경'입니다. 두 곳 다 평지인 지형이며, 교통이 편리한 지역입니다. 이 두 가지 요소는 기본적으로 큰 상권이 형성되기 위해 갖춰야 할 필수요소입니다.

하지만 자세히 들여다보면 영등포와 범계역 상권 역시 다른 점이 있습니다. 영등포는 주변 공업단지의 근로자 및 영등포역을 이용하는 승객을 대상으로 하는 광범위한 상권으로 시작했다면,

범계는 이 지역의 근로자와 신도시에 거주하는 아파트 주민을 대상으로 하는 항아리 상권으로 시작했습니다. 시작점이 달랐으니 발전과정이나 상권의 성격 역시 다르게 형성되었다고 볼 수 있습니다.

흔히 말하는 '시내'상권은 영등포 상권입니다. 유흥가가 밀집해 있고 과거에는 홍등가까지 있었던 상권이죠. 범계역 역시 똑같은 유흥을 위한 상권이지만 실제로 가보면 영등포 상권과는 느낌이 많이 다릅니다. 일단 가장 눈에 띄는 점은 영등포 상권에 비해 범계역이 더 정돈되어 있다는 점입니다. 영등포 상권은 과거 철도를 이용하기 위해 모여든 사람들을 대상으로 장사를 시작했던 곳이었기 때문에 무허가 노점상들이 많았습니다. 그래서 분위기 자체가 복잡하고 길 모양이나 도로 폭 등이 균일하지 않았죠. 현재는 많이 정비되었고 노점상도 많이 없어졌지만 여전히 옛날의 흔적은 남아있습니다. 당연히 신도시 계획과 함께 조성된 범계역 상권이 더 깔끔하고 정돈된 느낌을 줍니다.

수요층도 약간은 다릅니다. 영등포는 중장년층이 많은 반면, 범계역에는 젊은 층이 많습니다. 1기 신도시에 살았던 1세대를 포함해 그 자녀 세대인 2세대가 가장 많은 수요층을 차지하고 있습니다. 초창기 입주했던 자녀 세대가 이제는 부모 세대가 되어 계속해서 거주하는 세대가 많습니다. 그만큼 1기 신도시 평촌의 생활 인프라가 잘 형성되어 있다는 반증으로 볼 수 있습니다.

▲ [그림61] (좌)영등포역 노점상, (중)범계역 로데오상권, (우)평촌학원가

  이러한 차이들이 상권의 질적 차이를 만들어 냅니다. 영등포 상권이 질적으로 나쁘다는 뜻이 아니라 범계 상권과는 질적으로 다르다는 뜻입니다. 해당 지역을 이용하는 사람들(수요층)이 다르기 때문에 상권의 성격이 다르게 형성되고, 이러한 상권의 성격에 따라 생활 인프라의 색깔이 결정됩니다. 수요의 성격이 '입지'를 결정짓는 것이죠. 그리고 그 입지적 차이는 곧 가격에 반영됩니다. 상권 뿐만 아니라 일자리, 교통, 학군 요소가 해당 지역의 아파트 가격에 영향을 끼치며, 이 모든 요소를 총체적으로 누렸을 때의 점수를 합산한 값이 곧 그 지역 아파트의 '가격'이 되는 것입니다.

  상점의 개수가 알려주는 것은 그 상권 규모가 얼마나 큰지에 대한 정보 뿐입니다. 상권의 가치는 상점의 개수로만 결정되는 것은 아니기 때문에, 상권을 다양한 각도에서 질적으로 바라보는 눈이 필요합니다. 그리고 무엇보다 상권을 비롯한 다양한 입지 요소가 아파트 가격에 어떻게 반영되는지 구체적으로 이해할 수 있어야 합니다.

6.7 가격에 영향을 끼치는 입지 요소는 따로 있다

아래 그림은 범계역 로데오거리와 평촌 학원가 사이에 있는 아파트를 나타낸 것입니다. 평촌신도시 하면 가장 먼저 떠오르는 것이 학군이기 때문에, 시세에 가장 큰 영향력을 끼치는 요소는 '학군'이라고 봐야 합니다. 그리고 범계역 역시 평촌 시민들의 발이 되어주는 중요한 교통망이기 때문에 '지하철역' 역시 고려해야 하는 요소입니다. 그렇다면 평촌의 입지를 평가할 때 고려해야 하는 중요한 요소는 아래와 같습니다.

- **평촌 학원가가 가까운 곳**
- **선호 중학교에 진학할 수 있는 곳 (귀인중, 평촌중, 범계중)**
- **4호선 범계역/평촌역을 도보로 5분 내에 갈 수 있는 곳**

이 세 가지 조건을 동시에 만족하는 곳이 가장 비싼 입지이며, 학군지의 특성상 세 번째 요소(교통)보다 첫 번째와 두 번째 요소(학군)의 영향력이 더 크게 작용합니다. 실제로 아래 그림에서 각 단지의 평당가를 보면 A그룹의 평당가가 가장 비쌉니다. 역까지의 거리는 다소 멀지만 평촌 학원가가 가깝고 선호도가 높은 중학교에 진학할 수 있는 아파트이기 때문입니다.

상권의 영향을 더 많이 받는 단지는 B와 C그룹의 단지들이라고 볼 수 있습니다. 범계역 로데오거리와 더 가깝기 때문입니다. 특히 빨간색 동그라미로 표시한 '목련마을 선경1단지'가 범계역 로데오거리 상권과 가까우면서 범계역과도 가장 가까운 거리에 있기 때문에 주목해야 할 단지입니다. C구역 역시 로데오거리 상권에서 가깝지만 30평대가 아예 없고 10~20평대로만 구성되어 있기 때문에 수요(1인 가구, 신혼부부 등)가 한정적입니다. 그래서 각 구역의 시세를 정리해 본다면, 학군의 수혜를 직접적으로 받는 A가 가장 높고, 범계역 역세권이면서 상권의 수혜를 받는 B, 마지막으로 소형평형 위주의 C가 차례로 그 뒤를 잇습니다.

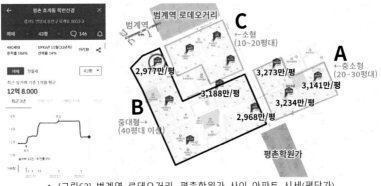

▲ [그림62] 범계역 로데오거리~평촌학원가 사이 아파트 시세(평당가),
23년 6월 기준

　전체적으로 보았을 때 범계역 상권(B그룹)의 시세는 43평 기준 평당 3,000만원 정도(34평 환산 10.2억)라고 볼 수 있습니다. 앞에서 보았던 중계 학원가의 대장 청구3차(31평 기준 10.7억)와 크게 차이나지 않는 가격입니다.(평수 차이로 인해 평당가는 꽤 차이납니다.) 경기도에 속한 평촌도 인서울 하기에 충분한 가격임을 알 수 있습니다.

　학원가로 가까이 가면 3,200만원까지 오르기는 하지만 학군의 영향이 더 커집니다. 학군요소보다는 상권(+역세권)의 영향력이 더 강한 '목련마을 선경1단지'의 평당가를 기준으로 비교군 아파트를 찾아보겠습니다. 해당 단지는 43평 외에 국평 수준인 35평형도 있으나 22년 5월 이후 오랫동안 거래가 없었기 때문에 그나마 최근 거래가 있었던 43평 '평당가'를 기준으로 살펴봅니다.

▲ [그림63] 목련마을 선경1단지 같은 평당가 아파트

서울 한강과 3대 업무지구의 위치를 중심으로 목련마을 선경1단지와 비슷한 평당가(3,000만원)의 단지를 찾아보면 상당히 괜찮은 입지의 단지들이 많이 보입니다. 표시는 하지 않았지만 가격 범위 안에 들어오는 단지들은 훨씬 더 많았습니다. 시세 10억 정도가 되면 선택지가 상당히 넓어지며 인서울도 충분히 가능합니다.

서울에도 10억 정도의 34평 아파트가 이렇게 많은데, 평촌은 위 지도에서 보이지 않을 정도로 한참 아래에 위치하고 있습니다. 입지를 평가할 때 기본적으로 강남을 포함한 주요 일자리까지의 접근성이 그 기준이 되는데 이런 점을 생각하면 범계역 상권 인근 단지의 시세가 상당히 높음을 알 수 있습니다. 물론 배후에 있는 평촌 학원가의 후광을 받았고, 정주 여건 역시 양호한 평촌 신도시이기 때문에 이 정도 가격을 형성하고 있다는 점도 함께 고려해야 합니다.

그래서 중요한 것은 정해진 자원 내에서의 '선택'입니다. 10억으로 평촌을 갈 것인지, 서울로 갈 것인지. 정답은 선택하는 사람의 상황에 달려있습니다. 누군가에게는 정답일 수 있지만 누군가에게는 아닐 수도 있는 것이죠.

6.8 상권을 분석할 때,
스타벅스 개수를 셀 필요가 없는 이유

예전에는 아파트 인근에 마트, 학원이 몇 개나 있는지 세거나 주변에 스타벅스가 몇 개나 있는지 세는 경우가 많았는데 이제는 그럴 필요가 없습니다. 아래 사진은 리치고의 '환경' 탭입니다.

해당 아파트를 중심으로 300m, 600m, 1km를 기준으로 교통 인프라, 생활편의시설, 교육시설의 개수를 모두 카운팅 해주고 이를 바탕으로 교통, 생활, 교육 부문으로 나눠 점수를 매겨줍니다. 그리고 거주점수로서 총점까지 매겨주죠. 그리고 각각의 상점이나 학원의 명칭과 위치까지 모두 표시해줍니다. 한눈에 그리고 편리하게 정보를 제공하여 이제는 지도에서 하나하나 검색해가며 찾을 필요가 없습니다.

▲ [그림64] 리치고의 '환경'탭

생활 인프라라는 것이 그 지역에 살면서 느껴야 가장 정확하지만 모든 지역을 살아볼 수 없기 때문에 인문환경의 가치를 수학적으로 계산하여 수치화 한 것 자체가 의미 있다고 볼 수 있습니다.

7 │ 입지요소#05

입지요소의 화룡점정, 자연환경

서울에서 자연환경으로서의 입지가 가장 좋은 곳을 꼽으라면 단연 한강 주변입니다. 그리고 한강을 끼고 있는 대표 주거지 중 가장 비싼 곳을 고르라면 압구정과 용산이겠죠.

▲ [그림65] (상) 한강을 끼고 있는 용산과 압구정, (하) 용산의 지형

이 두 지역의 공통점은 한강을 끼고 있으면서 강을 향해 튀어 나온 형태라는 것입니다. 부동산에서는 남향을 선호하는 문화로 인해, 한강을 남쪽으로 바라보는 용산이 지형적 입지로서는 단연 최고라고 볼 수 있습니다.

7.1 풍수지리로 바라본 서울 최고의 입지는?[7)]

풍수학적으로 볼 때 물은 재물로 봅니다. 그런 의미에서 서울 중심을 지나가는 한강은 아름다운 자연환경으로서 중요하기도 하지만 '재물'로서의 의미도 중요합니다. 한강뷰가 괜히 비싼게 아니죠. 이런 이유로 예부터 산으로 둘러싸인 것만큼이나 물로 둘러싸인 것을 더 좋게 해석합니다.

또한 물의 유속도 중요한데, 유속이 빠르면 재물이 빨리 손실되고 느리면 재물이 오랫동안 머문다고 하였습니다. 유속이 느려지는 구간의 물을 구곡수(굽어서 드나드는 물)라 하는데, 한강의 모양을 볼 때 구곡수가 나타나는 지역이 바로 압구정과 용산입니다.

압구정을 포함한 강남은 명당입니다. 과천에서 흘러나오는 양재천이 서출동류하여 탄천과 합류, 한강을 만나 서초와 강남을 감싸주니 생기가 온전히 보전되는 재물의 땅이라 하였습니다. 또한

---

7) [김정인 교수의 풍수칼럼] 물로 둘러싸인, 서울 강남의 풍수지리, 충청매일, 2019
풍수지리로 풀어보는 서울의 명당 아파트, 매일경제, 2010
서울 어디에 집 사면 좋을까?… 풍수지리 전문가에 물었더니, MoneyS, 2022

풍수적으로 볼 때, 강북에는 권력· 출세· 명예의 기운이 강해 정치인, 공무원, 군인, 법조인들에게 좋은 지역이라 하였고, 강남은 권력보다 재물이 앞서는 곳으로 기업가, 상인, 오피스텔이나 업무공간이 필요한 사람에게 유리한 땅이라 하였습니다. 하지만 저지대가 많은 강남 특성상 침수가 자주 일어나는 문제가 있습니다. 실제로 반포(盤浦)의 한자에서 '반'의 뜻이 물받이 대야라는 뜻인데, 그만큼 침수가 자주 일어나는 지역입니다.

▲ [그림66] (좌) 용산 한강맨션(1억1,486/평),
(우) 압구정 현대1,2차(1억 481/평), 23년 6월 기준

용산은 명당의 기본 요소를 두루 갖추었다 볼 수 있습니다. 명당의 가장 기본적인 요건이 장풍득수(藏風得水)와 배산임수(背山臨水)인데, 여기서 장풍득수는 바람을 막고 물을 가까이한다는 뜻입니다. 용산구의 입지를 보면 남산과 매봉산을 등지고 있어 뒤에서 불어오는 바람을 막아주고 앞으로는 한강을 끼고 있습니다. 장풍득수이며 배산임수죠. 또한 한남동의 경우 지역 자체가 인근 지형 대비 높은 지형이기 때문에 침수피해 역시 적고 건물의 저층부에서도 한강을 내려다볼 수 있는 장점까지 있습니다.

이런 요소들 때문에 풍수지리학적으로는 용산이 강남보다 한 수 위의 명당이라 할 수 있겠습니다.

용산(龍山)이라는 이름의 유래를 살펴보면 '양화나루 동쪽 언덕의 산형이 용이 있는 형국'이라는 뜻[8]으로 원래 서울 시내에서 높은 언덕이 많은 지형입니다. 한남동을 떠올리면 쉽게 이해되실 겁니다. 하지만 한남동의 좌측을 보면, 용산공원 아래쪽으로 한강을 접한 지역인 한강로1,2,3가부터 이촌동, 서빙고동까지는 언덕이 아닌 평지입니다. 한강을 남향으로 접하면서도 평지인 지역, 그리고 지하철역을 끼고 있으면서 뒤로는 용산공원을 품은 지역, 바로 이촌동입니다. 그리고 그 이촌동 중에서도 동부이촌동이 가장 입지가 좋다고 할 수 있습니다.

동부이촌동은 한강의 수변이면서 서울의 한 가운데에 위치하고 있어 바로 앞 강변북로를 이용해 서울 도심 어디든 빠르게 접근할 수 있습니다. 여의도와 강남, 사대문 지역 접근성이 가장 우수한 곳 중 하나죠. 실제로 3대 업무지구를 점으로 찍어 삼각형을 만들면 정 가운데 용산이 위치합니다. 한강의 최대수혜지 용산을 자세히 알아보겠습니다.

7.2 용산 시대를 이끄는 동부이촌동

동부이촌동의 역사를 이야기할 때 '한강'을 빼고 얘기할 수 없습니다. 원래 이곳은 옛날부터 백사장이 넓게 펼쳐져 있었는데,

---

8) 조선시대 관찬지리서, 「신증동국여지승람(1530)」

서울 시민들이 물놀이나 하던 곳이었습니다. 그리고 무허가 판잣집들도 많았는데 한강변이다보니 비가 많이 오면 침수피해가 자주 발생했었죠.

▲ [그림67] (좌) 1960년대 이촌동 백사장, (우) 상습침수구역이었던 용산

정부는 이러한 피해를 예방하고 도시환경을 정비하고자 무허가 판자촌을 이전시키게 됩니다. 1967년 김현옥 서울시장이 한강변 개발계획에 따라 대규모 개발이 진행되면서 제일 처음으로 공무원 아파트를 지었고, 이후 한강맨션을 포함한 아파트를 건설하였습니다.

▲ [그림67] 1972년 동부이촌동 항공사진

어떻게 보면 1960년 말부터 건설된 여의도, 반포, 압구정과 함께 아파트 중심의 생활권을 형성한 1기 부촌이라 할 수 있으며, 여전히 이곳 대형 평수에는 중산층 이상의 상류층들이 많이 모여 살고 있습니다. 실제로 이촌한강맨션은 우리나라를 대표하는 아파트 압구정 현대와 비교해도 손색없는 가격을 자랑합니다.

한강의 최대 수혜지인 이촌동에서 아쉬운 점을 굳이 꼽으라면, 택지지구가 가로로 길게 뻗은 형태라는 점입니다. 모양이 가로로 길기 때문에 다양한 시설들이 들어올 공간이 충분하지 않았죠. 강남은 큼직큼직하게 도시를 구획하여 대단지 아파트와 상권, 편의시설들을 풍부하고 짜임새있게 배치한 반면, 이촌동은 몇 개의 중대 규모 단지를 중심으로 소규모 단지들이 그 사이를 메꾸고 있는 형태입니다. 이렇게 동네 전체가 아파트 중심으로 배치된 탓에 상가나 상업지역이 들어올 용지가 충분히 없었습니다.

그리고 동부이촌동이 '서빙고 아파트지구'로 지정되어 주택용지에는 주택만 지어야했습니다. 토지를 다양하게 활용할 수 없었던 거죠. 하지만 최근에는 아파트지구가 '지구단위계획'으로 전환되면서 앞으로는 주택용지에 상가가 들어오거나 주상복합이 들어오는 등 다양하고 복합적인 개발이 이루어질 것으로 예상됩니다.

도시구조 측면에 있어서는 용산구 자체가 경부선이나 용산공원으로 인해 생활권이 나뉘고 연담화가 잘 이루어지지 않는다는 평가를 받기도 하지만, 용산공원 및 용산국제업무지구의 개발로 인해 이러한 단점은 점차 사라질 것으로 예상됩니다.

▲ [그림68] (좌) 용산공원 조성 부지 현황(21.5.기준), (우) 용산국제업무지구 계획

이러한 용산을 제외하고 아파트 값 비싸기로 유명한 지역들이라고 하면, 가장 먼저 떠오르는 곳은 강남 3구, 그리고 그 뒤를 잇는 곳이 바로 '마·용·성·광'입니다. 실제로 이 지역들의 평균 평당가는 서울 모든 구 중에서도 항상 상위 랭크를 차지하고 있습니다. 그리고 이 지역들 의 공통점이라고 하면? 모두 '한강'을 끼고 있다는 점입니다.

▲ [그림69] 평균 시세 상위 지역 위치

선택	★	비교 추가	지역 (단지수) ❓	시세		
				매매 ↑	전세	전세율
⤴	☆	⟳	**서초구** ⬚	↓ 6,783	↓ 2,622	↓ 37%
⤴	☆	⟳	**강남구** ⬚	↓ 6,687	↓ 2,467	↓ 36%
⤴	☆	⟳	**용산구** ⬚	↓ 5,728	↓ 2,115	↓ 37%
⤴	☆	⟳	**송파구** ⬚	↑ 4,896	↑ 2,092	↑ 43%
⤴	☆	⟳	**성동구** ⬚	↓ 4,127	↓ 1,980	↑ 48%
⤴	☆	⟳	양천구 (177) ⬚	4,116	↓ 1,719	↓ 42%
⤴	☆	⟳	**광진구** ⬚	↓ 4,096	↓ 1,940	↑ 47%
⤴	☆	⟳	**마포구** ⬚	↓ 3,902	↓ 1,971	↑ 49%
⤴	☆	⟳	종로구 (86) ⬚	↓ 3,633	↓ 1,848	↓ 51%
⤴	☆	⟳	영등포구 (319) ⬚	↓ 3,562	↓ 1,664	↓ 46%
⤴	☆	⟳	동작구 (138) ⬚	↓ 3,516	↓ 1,715	↓ 48%
⤴	☆	⟳	강동구 (189) ⬚	↑ 3,477	↑ 1,738	↑ 50%
⤴	☆	⟳	중구 (91) ⬚	↓ 3,441	↓ 1,835	↓ 52%
⤴	☆	⟳	강서구 (333) ⬚	↓ 2,996	↓ 1,459	↓ 48%

▲ [그림69-1] 구별 평당가 시세순서(부동산지인, 23년 6월 기준)

7.3 한강 프리미엄의 역사와 현재, 그리고 미래

 과거 조선시대부터의 도심형성 과정을 생각해보면, 궁을 중심으로 사대문이 형성되었고, 이후 그 주변으로 도심이 퍼져나갔습니다. 당연히 도성과 인접한 곳에 도심이 만들어졌고, 종로 등 주요 상권 역시 사대문 안쪽으로 형성되었습니다. 하지만 점점 도시의 노후화와 교통의 발달, 도심기능의 분화 등으로 인해 점점 생활반경이 넓어지고 위성도시까지 생겨났습니다. 서울 대확장의 시대가 온거죠. 이러한 과정 속에서 한강 역시 발전해 나갔으며, 특히 1980년대 전두환 정부의 '한강종합개발계획'과 '서울올림픽의 개최'는 한강 발전의 결정적 계기가 되었습니다.

 하지만 70년대 이후, 산업화로 인한 난개발의 부작용이 지적되기 시작했습니다. 동시에 경제적으로 성장하고 국제적인 위상이 높아지면서 영국 런던의 템즈강이나 프랑스 파리의 센강처럼 자연환경과 조화된 아름다운 도시환경을 만들고자 하는 요구도 강해졌죠.

▲ [그림70] (좌) 영국 템즈강, (우) 파리 센강

 이러한 시대적 요구와 함께 90년대 말, IMF 이후에는 주택의 양보다 질을 더 중요하게 생각하는 중산층과 부유층의 수요가 맞물려 '쾌적성에 대한 프리미엄'이 급격히 상승하였고 특히 한강 조망 프리미엄을 받은 반포, 잠원, 잠실이 부동산 시장을 이끌었습니다. 이어 용산, 옥수, 성수, 마포 역시 한강의 후광을 받아 이

번 상승장에서 크게 진보했죠.

한강은 위치적으로 서울 중심에 위치하고 있기 때문에 주요 업무 지구와 가깝고 교통의 편의성이 좋으며, 이러한 교통 편의성과 유리한 접근성을 활용하고자 하는 기업들이 계속 모여드는 곳입니다. 자연스럽게 일자리와 가까운 인근에 양질의 주거지가 생겨나고 고소득 일자리 인근 주거지의 가치는 높아지며 이러한 배후수요를 노리는 상권도 계속 형성되죠.

부동산

"한강 보이니 4억 더 주세요"...한강 조망 따라 가격 천지차이

연   기자 Q   @mk.co.kr

입력 : 2023·06·02 18:26:50   수정 : 2023·06·02 19:12:52   가 🖨 ⌣ 🔖

▲ [그림71] 한강뷰 프리미엄을 반영한 기사 (매일경제, 23년 6월 12일 기사)

결국 자연환경으로서 '한강'은 한강뷰라는 영구적인 조망권을 제공하면서 삶의 쾌적성까지 보장해주고 여기에 일자리와 교통 인프라까지 더해지면서 그 가치가 계속 높아져 왔습니다. 이는 연쇄적이고 반복적인 현상으로, 앞으로 그 가치는 계속 상승할 것입니다.

이제는 한강뷰라는 것이 부의 상징이 된 시대입니다. 이러한 가치는 희소하며 대체할 수 없기 때문에 앞으로도 계속 서울의 핵심입지로서 그 지위를 더욱 공고히 유지할 것으로 예상됩니다.

7.4 호수 프리미엄의 시대, 동탄호수공원과 부영

동탄호수공원은 경기도시공사가 동탄2신도시의 송동과 산척동 일원에 조성한 호수공원으로서, 광교호수공원의 절반 수준의 규모입니다. 원래는 산척저수지였으나 동탄 2신도시의 워터프론트 컴플렉스로 개발을 시작하게 되면서 현재는 동탄호수공원으로 명칭을 변경하였으며, 지금은 동탄2신도시의 랜드마크로 자리잡았습니다.

동탄호수공원이 위치한 워터프론트컴플렉스 주변을 보시면 호수 우측으로 공원이 형성되어 있고 그 주변은 아파트가 둘러싸고 있습니다. 이곳 단지들은 호수공원을 끼고 있으며, 일부 단지는 동탄호수를 직접 조망할 수도 있습니다. 호수 프리미엄 수혜 아파트라고 볼 수 있죠.

이곳에 들어온 단지는 모두 '부영'의 브랜드 아파트입니다. 부영이란 브랜드는 서울을 제외한 수도권과 지방에서 주로 영업했던 건설사입니다. 부영의 창업주 이중근 회장의 출신지가 전남 순천인 관계로 호남지역에서 시작된 건설사인데, 수도권 사람들에게는 무엇보다 원앙새 로고로 익숙한 브랜드입니다. 부영이 2006년부터 사용한 '사랑으로' 브랜드는 '모든 입주자들이 사랑으로 가득한 집에서 살라'는 뜻으로서, 가정의 화목을 기원하는 의미가 담겨 있습니다.

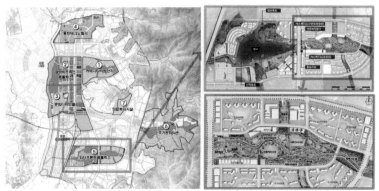

▲ [그림72] (좌)동탄2신도시 토지이용계획도,
(우)워터프론트컴플렉스 조감도 및 주변 아파트용지

　최근 많은 건설사가 브랜드 가치를 높이기 위해 영어 이름을 도입하는 등의 변화를 시도하는 것에 비해, 부영은 촌스러운(?) 네이밍과 디자인을 고집해왔습니다. 이는 부영건설의 철학이 담겨 있는 부분인데 '주택은 소유가 아니라 주거에 있다'는 신념에 따라 현재도 이 브랜드 네이밍을 고수하고 있습니다. 하지만 이러한 평가를 의식한 탓인지 동탄2신도시 부영아파트는 기존의 성냥갑 디자인에서 탈피하고 부영 회장님이 애정하는 원앙새 디자인도 사라졌습니다.

순위	기업집단명	공정자산	순위	기업집단명	공정자산	순위	기업집단명	공정자산
		단위:조원			단위:조원			단위:조원
1	삼성	486	11	신세계	60	21	현대백화점	22
2	에스케이	327	12	케이티	46	22	부영	21
3	현대자동차	271	13	씨제이	41	23	네이버	21
4	엘지	171	14	한진	38	24	미래에셋	20
5	포스코	132	15	카카오	34	25	에쓰-오일	20
6	롯데	130	16	엘에스	29	26	금호아시아나	18
7	한화	83	17	두산	27	27	하림	17
8	지에스	82	18	DL	26	28	영풍	17
9	HD현대	81	19	에이치엠엠	26	29	에이치디씨	17
10	농협	71	20	중흥건설	23	30	SM	16

▲ [그림73] (좌)부영의 심볼, (우) 23년 기준 기업집단 공정자산 순위

촌스러운 이미지와는 달리, 자산순위를 보면 23년 기준 재계서열 22위의 대기업입니다. 세련되지 못한 디자인과 부족한 네이밍 센스로 인해 인식이 좋지 않은 브랜드지만 내실을 들여다보면 네이버나 SM보다 더 순위가 높은 대기업임을 알 수 있습니다. 1983년 삼신엔지니어링이라는 사명으로 시작한 부영은 임대주택사업을 기반으로 성장했으며, 지금의 지위를 다지는데 있어 동탄2신도시의 분양은 아주 결정적이었습니다.

최초 동탄2신도시에 들어온 부영은 초반 분양성적이 좋지 않았습니다. 2015년에 분양했던 A23블럭은 평균 경쟁률이 2.69대 1이었고 2순위에서 간신히 완판에 성공했습니다. 하지만 A31블럭은 7개 타입 중 6개 타입이 청약 미달 되면서 미분양 사태에 대한 우려가 나오기 시작했죠. 2015년 상반기 분양했던 타 브랜드의 8개 아파트 단지가 모두 순위 내 청약 마감된 것과는 대조적인 분위기였으며 한달 전에 분양했던 동탄2푸르지오2차는 1순위 경쟁률 58.5대 1까지 기록하기도 했습니다. 당시 부영의 분양가는 84타입 기준 A23 블록 3억 6,840만원, A31 블록 3억 9,270억이었습니다. 비슷한 시기에 분양한 타 브랜드의 분양가격과 비슷한 가격이었죠. 하지만 임대아파트를 많이 짓던 부영의 브랜드 인지도와 평판을 생각할 때, 다른 단지와 가격이 비슷하다면? 사람들은 부영의 분양가를 비싸다고 평가했습니다. 대표적인 예로, 당시 A23 바로 옆의 반도유보라 2단지의 시세가 3억 5,000만원이었고 부영 A23이 3억 6,840만원에 분양했습니다. 1년 더 늦게

분양했던 부영 A23의 분양가가 2,000만원 정도 더 비싸긴 했지만 2순위에서 간신히 완판될 정도로 비싼 분양가는 아니었습니다. (현재까지 두 단지는 비슷한 가격대를 형성해오고 있습니다.)

▲ [그림74] 부영 A23,31블록 위치

당시 동탄2신도시 내 미분양 가구가 총 625가구였습니다. 이 중 대부분이 '부영 사랑으로' 아파트였고, 분양 후 1년이 지났는데도 부영은 200여 가구의 미분양을 해결하지 못했습니다.

부영주택, 분양불패 동탄2서 '청약 참패'...이유는?

사랑으로 부영 31블록 청약미달, 낮은 브랜드 인지도·배짱 분양가 탓
투자수요 모으기도 쉽지 않아, 초기 분양률 저조할 듯

(서울=뉴스1) 임해중 기자 | 2015-07-28 14:43 송고 | 2015-07-28 14:53 최종수정

동탄2신도시 상반기
분양단지 청약경쟁률

아파트	평균 청약경쟁률	1순위 경쟁률	일반공급 물량	총 청약자수	1순위 청약자수
동탄역반도유보라아이비파크5.0	55.7대 1	55.7대 1	394가구	2만1934명	2만1934명
동탄2신도시에일린의뜰	12.9대 1	12.9대 1	443가구	5714명	5714명
동탄2신도시호반베르디움3차	1.7대 1	0.6대 1	1668가구	2825명	979명
동탄2신도시금성백조예미지	17.1대 1	17.1대 1	413가구	7061명	7061명
동탄역반도유보라아이비파크6.0	62.9대 1	62.9대 1	393가구	2만4701명	2만4701명
동탄2신도시2차푸르지오	58.5대 1	58.5대 1	567가구	3만3194명	3만3194명
동탄금강펜테리움센트럴파크2차	2.0대 1	1.1대 1	814가구	1652명	925명
동탄린스트라우스더센트럴	38.3대 1	38.3대 1	475가구	1만8184명	1만8184명

news **1**

▲ [그림74-1] 당시 기사 내용발췌(2015년 7월 28일 기사)

그래서 결국 2,000~3,000만원 할인분양을 실시하고 중도금 무이자 대출 및 계약금 역시 20%에서 10%로 낮추는 등 파격적인 조건을 내세우게 됩니다.

이렇듯 동탄2신도시 외곽의 부영은 고전했지만 동탄호수공원의 부영 단지들은 달랐습니다. 분위기를 반전시킬 수 있었죠. 동탄호수공원의 일명 '호수부영타운'은 동탄호수와 호수공원이라는 자연환경을 특장점으로 내세웠습니다. 물론 호수조망은 일부 단지에 한정되었지만 도보로 호수와 공원을 모두 이용할 수 있었죠. 동탄에 있는 공원 중에는 1동탄에 있는 센트럴파크가 가장

유명했는데, 동탄호수공원은 그것보다 훨씬 크고 호수까지 있으니, '호수'와 '공원'은 내세울만한 장점이었습니다. 제2의 광교호수를 꿈꾸며 말이죠.

부영은 이러한 자연환경의 장점을 특화시켜 단지 내외부 공간을 공원과 연계하고 동탄호수공원의 경관조망 및 외부공간활용을 극대화시켜 A70~72블록 분양 시 84A타입 기준 최고경쟁률 201대 1로 완판시킵니다. 그리고 이어 분양한 나머지 A73~75까지도 우수한 성적을 기록하게 되죠.

▲ [그림75] (좌) 호수부영 블록별 위치,
(우) 당시 기사 내용발췌(2016년 8월 23일, 기호일보 기사)

같은 브랜드 단지임에도 이렇게 청약실적이 달라진 이유는 시장 분위기가 개선된 부분도 있었으나, 무엇보다 동탄호수와 동탄호수공원과 조화롭게 이뤄진 대단지 프리미엄이 아파트 브랜드에 대한 인식을 개선시켰다고 볼 수 있습니다. 자연환경과 관련된 입지 프리미엄이 적용된 것이며, 지금도 그 프리미엄은 호수부영아파트 가격에 반영되어 있습니다.

7.5 자연환경이 가격을 결정짓는다

자연환경 요소가 강하게 작용하는 지역인 만큼 호수 조망권이 가장 큰 프리미엄입니다. 그래서 호수를 직접 조망이 가능한 곳이 가장 비싸며 남쪽으로 바라볼수록 비쌉니다. 즉, 호수나 공원을 남향으로 조망할 수 있는 북쪽 단지일수록 비싸다는 거죠.

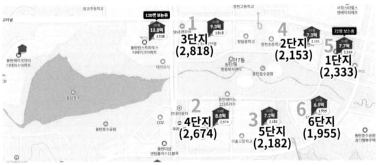

▲ [그림76] 호수부영 평당가 및 가격순서, 33평 기준 평당가

- (1순위 : **3단지**) 가장 호수에서 가까운 라인 중 북쪽라인에 위치해 남향 호수조망

- (2순위 : **4단지**) 남쪽라인에 위치해 남향 호수조망은 어렵지만 호수에서 가까움

- (3순위 : **5단지**) 2단지 대비 호수가 더 인접

- (4순위 : **2단지**) 5단지보다는 호수에서 약간 더 먼 대신 호수공원 남향 조망

- (5순위 : **1단지**) 호수공원 남향 조망 및 근린상가와 길 건너 상권 인접

- (6순위 : **6단지**) 호수공원 남향 조망이 어렵고 상권도 거리가 있음

시기나 매물, 거래현황에 따라 약간의 차이는 있겠으나 3단지와 4단지가 가장 높은 시세를 형성하고 2단지와 5단지가 그 다음, 마지막으로 1단지와 6단지가 같이 묶이면서 가격대를 형성합니다. 이 중에서 가장 구석이면서 상권에서도 먼 6단지가 가장 낮은 가격대를 형성합니다. (위 그림에서는 1단지가 최근 7.7억의 가격이 거래되면서 2단지, 5단지보다 높은 가격대로 보이지만, 시간이 지나 거래가 더 일어나면 입지에 따른 가격으로 정렬될 것으로 예상합니다. 단, 사람마다 가격 기준을 다르게 잡기도 하기 때문에 절대적인 기준은 아닙니다.)

실제로 분양 후 분양권 거래를 할 때에도 3단지는 프리미엄이 3,000~5,000만원까지 붙었지만 6단지에는 마이너스 프리미엄도 있었습니다.

> **"어떤 입지요소가 더 큰 영향을 주느냐에 따라 입지별 가격순서가 결정됩니다."**

동탄호수와 호수공원의 영향이 큰 지역인 만큼 '자연환경 요소의 활용도가 높은 입지'가 더 높은 프리미엄을 형성합니다. 실제로 그런지 더 넓혀서 확인해 보겠습니다.

▲ [그림77] 동탄호수를 중심으로 분위지도 현황(평당가 기준)

　동탄호수를 중심으로 할 때 가까울수록 높은 평당가를 보이며 멀어질수록 점점 낮아지는 것을 확인할 수 있습니다. 동탄호수가 이 구역의 랜드마크이며 호수를 중심으로 개발이 이루어진 곳인 만큼 모든 인프라는 동탄호수 쪽으로 몰리됩니다. 당연히 유동인구도 호수 주변으로 갈수록 많아집니다. 워터프론트컴플렉스의 이름에서도 알 수 있듯이 동탄호수 인근이 가장 높은 개발압력을 받으면서 다양한 편의시설과 상권들이 집중되므로, 위와 같은 분위지도가 나타나는 것은 자연스럽다고 볼 수 있습니다. 동탄호수를 중심으로 하는 워터프론트컴플렉스에서는 외곽으로 새로운 인프라가 더 생겨나지 않는 이상, 지금과 같이 동탄호수와 동탄호수공원과의 거리 순으로 가격이 매겨질 것입니다.

8 | 부동산 입지에 대한 오해와 진실

글 중간중간마다 언급한 예시단지들은 모두 입지 측면에 있어 우수한 평가를 받는 곳들입니다. 일자리, 교통, 학군, 생활 인프라, 자연환경이라는 각 입지요소 중, 3개 항목에서 좋은 평가를 받는다면 해당 지역 내에서 선호하는 아파트가 될 가능성이 높고, 4개 이상 항목에서 좋은 평가를 받는다면 지역 내 상급지라고 볼 수 있습니다.

문제는 이렇게 입지가 좋은 곳들도 하락을 피해 가기 힘들다는 것입니다. 실제로 입지가 우수한 아파트가 하락장을 거치며 어떤 가격 흐름을 보였는지 예시를 통해 살펴보겠습니다.

8.1 입지는 그대로인데 가격은 왜 떨어지는가?

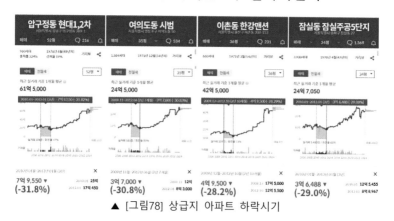

▲ [그림78] 상급지 아파트 하락시기

138

주요 업무지구 및 업무지구의 배후지역들입니다. 앞에서 살펴본 것처럼 압구정, 여의도, 이촌동은 주요 업무지구로부터 매우 가깝고 교통도 편리한 곳입니다. 그리고 GBD의 배후수요지인 잠실의 주공 5단지 역시 사람들 사이에서 상급지로 꼽히는 아파트입니다.

위 그래프를 보면 2008년 하반기 급락 후 바로 회복, 그리고 2009년 하반기부터 다시 하락하는 흐름을 볼 수 있습니다. 2008년 당시 이명박 정부는, 앞선 노무현 정부 당시의 집값 상승의 흐름을 막고자 '보금자리주택'이라는 이름으로 공공주택 공급사업을 대대적으로 실시했습니다. 그리고 2008년 9월, 미국 4대 투자은행인 리먼브라더스가 파산, 국제 금융위기가 발생하여 우리나라에까지 영향을 미치게 됩니다. 이로 인해 수도권의 부동산 매수심리는 급격히 악화되었고 6개월 만에 급격한 가격하락이 일어났습니다. 이에 규제완화를 빠르게 실시하고 금리도 인하하는 등의 조치로 인해 빠르게 가격이 반등했지만, 그 이후 오랜 기간동안 침체를 겪었습니다.

위의 그래프에서 표시한 구간은 국제금융위기 당시의 하락폭을 회복한 이후의 상황입니다. 그 이후 3~4년 간의 가격을 살펴보면, 약 3년에 걸쳐 -30% 정도 하락했었습니다. 암흑의 시기를 지난 후 문재인 정권에서 역대급 상승장을 맞이한 덕분에 이전의 하락이 무색하게 느껴지긴 하지만, 당시 부동산 가격하락을 온몸으로 맞았던 소유주들에게는 그 때가 공포의 시기였을 겁니다. 일자리도, 교통도, 학군도, 인프라도, 자연환경도 완벽한데도 하락했음을 확인할 수 있습니다.

　다음으로는 대치동, 목동, 분당 서현동의 아파트입니다. 역시나 2008년 국제금융위기 이후 2기 신도시 입주의 영향으로 가격이 –20~-30%정도 하락했습니다.

▲ [그림79] 학군지 아파트 하락시기

　위 아파트의 공통점은 모두 학군으로 유명한 지역입니다. 학군지도 가격이 떨어질 때가 되면 떨어졌다는 것을 확인할 수 있습니다. 학군지와 관련한 이야기 중에 '학군지에는 늘 수요가 있기 때문에 가격이 떨어지지 않는다'라고 하지만 하락할 때가 되면 하락합니다.

　전에 있던 일자리가 사라지는 것도 아니고, 지하철 역이 사라지는 것도 아니며, 공부 잘하던 학교가 하락장이 되었다고 해서 갑

자기 학력이 떨어지는 것도 아닌데, 아파트 가격은 떨어집니다. 그 좋다는 한강이 어디 사라진 것도 아닌데 말이죠.

"입지는 가격 상승의 필요조건이지 충분조건으로 볼 수는 없습니다."

'입지가 좋은 곳은 가격이 떨어지지 않을 것이다'라는 생각은 흔히 하는 착각 중 하나입니다. 물론 다른 입지 대비 덜 떨어질 수도 있으나 떨어질 때에는 이런 곳들도 떨어질 수 밖에 없습니다. 오히려 더 많이 떨어지기도 하죠.

그렇다면 언제 하락장이 오고 언제 상승장이 오냐가 중요한 것인데 이것들은 고차방정식으로 풀어나가야 합니다. 그리고 예측의 영역이라 미지수가 많기 때문에 정확하게 그 시기를 맞추는 것은 불가능합니다. 하지만 가격이 상승하거나 하락하는 변곡점에서는 트리거가 존재한다는 것을 기억해야 합니다. 과거의 역사를 살펴보면 입주물량의 과다나 부족, 이로 인한 전세가의 변동과 전세가율의 변화, IMF나 국제금융위기 같은 경제위기, 환율, 규제, 금융정책, 금리 등 수 많은 변수가 있었습니다. 여러 요소가 무질서하게 흩어져 있다가 어떤 계기로 인해 변곡점의 트리거가 당겨지면 시장의 방향을 결정짓는 요소로서 체계적으로 작동하게 됩니다. 마치 엔트로피처럼요. 이렇게 어떤 변수가 트리거로 작용해 시장의 방향이 상승이나 하락으로 결정되면 사람들의 심리는 한쪽으로 급격히 쏠리기 시작합니다.

 만약 상승으로 방향이 결정되면? 초조함 때문에 비싼 가격임에도 불구하고 눈에 불을 키고 사려고 합니다. 지불능력이나 저평가여부를 생각하지 않고 더 비싸지기 전에 사야겠다는 초조함 때문에 일단 사고 보는 것이죠. 영끌을 해서라도. 나의 자산 상황이나 소득수준에서 부담이 되는데도 더 오를 것이라는 기대감 때문에 삽니다. 급등이죠.

 하지만 비싸도 너무 비싸다는 심리가 팽배해지거나 더 오를 것 같지 않다는 불안감이 시장을 덮치게 되면 부풀었던 풍선은 작은 바늘 하나로 인해 터지게 됩니다. 급격히 하락하는 것이죠. 지난 장에서는 DSR을 통한 대출규제와 급격한 금리인상이 바늘 역할을 했습니다. 오를 것만 같았던 아파트 가격이 떨어지기 시작하면 사람의 심리는 불안에 휩싸이고, 불패인줄 알았던 부동산의 추락을 목도하면서 더 손해보기 전에 지금이라도 팔려고 하는 사람이 생깁니다. 사람은 수익을 기대하는 마음보다 손실을 회피하고자 하는 심리가 더 강하기 때문에[9] 투매에 동참하기도 합니다. 가격하락이 더 급격한 가격하락을 불러오기도 하죠. 결국 하락에 대한 공포감이 가격상승의 기대감보다 더 크게 작용하여 물건을 급매로 던지게 되고 시장의 하락세를 더 키우게 됩니다. 이렇듯 폭등과 폭락이 생기는 이유는 이러한 사람의 심리 때

---

9) 손실회피편향(Loss Aversion), 얻은 것의 가치보다 잃어버린 것의 가치를 크게 평가하는 것

문입니다. 입지 하나만으로 가격의 움직임을 모두 설명할 수 없죠.

8.2 입지는 변수인가 상수인가?[10]

시장의 방향을 결정짓는 수많은 요소들은 고정되어 있는 것이 아니라 계속해서 변하는 '변수'로 작용하는데 그중 가장 변동성이 심한 것이 바로 시장 참여자의 '심리'입니다. 어떨 때는 가격이 더 오를 것으로 '기대'하여 상승으로 작용하지만, 어떨 때는 '공포'로 돌변하여 하락요인으로 작용하죠. 이에 비해 입지요소는 상대적으로 변동성이 크지 않아 '상수'로 작용하는 경우가 많습니다. 예컨대 CBD나 YBD, GBD 같은 일자리를 또 만들 수 있을까요? 대치동, 목동, 중계동만한 학군을 다른 지역이 대체할 수 있을까요? 어렵습니다. 이러한 입지요소들은 산술적으로 혹은 물리적으로 형성할 수 있는 것이 아니라 오랜 시간동안 문화적으로 인류학적으로 형성되어 온 것이기 때문에 쉽게 변하지 않는 '상수'로서 작용하는 것입니다.

이 상수는 가격이 상승할 때 더 상승할 수 있도록 기름을 붓는 역할을 하거나, 하락할 때 덜 하락하도록 더 견고한 지지선을 만들어줄 수 있습니다. 하지만 시장의 방향을 바꾸는 '변수를 막아주거나', 변곡점을 만드는 '변수로서 작용'하기는 쉽지 않습니다.

---

10) 常數, 어느 관계를 통해서 일정 값을 가진 수나 양, 어떤 상태에 있는 물질의 성질에 관한 일정량을 보이는 수

변곡점이 생긴다는 것은 예상치 못했던 변수가 생겼다는 뜻인데, 입지변화와 관련된 사례는 (정확한 시기까지는 모르더라도) 대부분 오랜 기간에 걸쳐 보도하기 때문에 어느 정도 예상 가능한 부분이 많습니다.

8.3 정비사업으로 천지개벽하는 곳은?

가끔 입지가 변수로 작용하는 경우도 있습니다. 천지개벽하는 경우입니다. 기존 주민들이 생각하기에 낮은 입지로 평가되던 곳이 대규모 정비사업이나 개발로 인해 천지개벽하면 변수로 작용하기도 합니다. 또는 교통호재나 개발계획이 발표되면서 가격이 갑자기 오르기도 합니다. 하지만 이런 곳들은 발표 이후에 가격이 갑자기 오르더라도, 이 호재가 실현되는데 까지는 오랜 기간이 걸립니다. 지하철 노선 역시 발표 이후 10년 내에 타기 힘들며, 그마저도 계속 연기되거나 개발 계획 자체가 중간에 좌초되기도 하죠. 이러한 인프라를 실제로 이용할 수 있을 때까지 많은 시간이 걸리기 때문에 대부분의 개발호재는 발표되었을 때 잠깐 가격을 띄우다가 사업이 지지부진한 흐름을 보이면 점점 프리미엄이 낮아지곤 합니다.

그래서 이러한 곳은 '사업'의 개념으로 접근해야 합니다. 실현 가능성이 있는지, 시간은 얼마나 걸릴지, 사업성은 높은지 판단한 다음 의사결정을 해야 합니다. 가장 대표적인 것이 재건축, 재개발과 같은 정비사업입니다. 10년 후면 혹은 언젠가는 완성되겠지하는 생각은 투자자로서 합리적인 선택이라고 보기 힘듭니다. 실제로 은마와 같은 곳은 조합을 13년째 설립 중이며 이렇게 정체된 사업장은 수도 없이 많습니다.

▲ [그림80] 2024년 기준, 10년 이상 추진 중인 정비구역 예시

정비사업은 말 그대로 '사업'입니다. 각 소유주들이 모여 조합을 설립하는데 소속 조합원들의 이해도가 높아야 추진이 빠릅니다. 그리고 사업장의 사업성, 조합장의 추진력과 리더쉽, 지역관청의 협조, 금융 및 대내외 상황 등 수많은 변수를 뚫고 나가야 하죠. 만약 이러한 분석이 틀렸거나 예상할 수 없는 새로운 악재로 인해 사업이 좌초 혹은 지연되면? 그만큼 시간적, 금전적 손실을 볼 수 있습니다. 반대로 순항하여 사업이 종결되면 해당 지역이 천지개벽하며 수익을 가져다 주죠. 변수가 상수로 돌변하여 새로운 입지로 거듭나는 것입니다.

▲ [그림81] (상) 매교역 인근 지도,
(하) 매교역 인근 전경(10년 전과 현재의 모습 비교)

 이러한 정비사업이 대규모로 이루어지면 하나의 미니 신도시가
생기기도 합니다. 대표적인 곳이 수원의 팔달재개발과 권선6구역
이 있는 매교역 인근입니다. 위의 사진은 매교역 인근의 지도와
실제 로드뷰입니다. 빨간색 화살표 방향으로 볼 때, 2013년과
2023년의 모습입니다. 도로를 중심으로 좌측은 10년 후 더 깔끔
해진 건물로 디벨롭 되긴 했으나 여전히 저층주택 및 상가로 유
지되고 있습니다. 반면 우측은 신축 아파트로 거듭나며 상품성이

146

획기적으로 좋아졌습니다. 2,000~3,000세대급 대단지 4개가 매교역을 중심으로 들어오면서 12,000세대 신도시급 개발이 이루어진 것입니다.

▲ [그림82] (상) 매교역 인근 지도,
(하) 매교역 인근 전경(10년 전과 현재의 모습 비교)

구도심에서 한 개의 단지만 들어오는 것이 아니라 동시에 넓은 구역에 걸쳐 재개발이 일어나면 지역의 전체적인 입지 수준을 끌어올릴 수 있습니다. 주택의 상품성이 향상됨과 동시에 전보다 더 많은 인구가 유입되며, 유입되는 인구도 새 아파트 상품성에 걸맞는 경제력을 갖춘 사람들 위주로 유입됩니다. 그러면 당연히 이들을 대상으로 하는 편의시설이 그 주변으로 모여들게 되고, 학원가와 상권이 형성되면서 상수였던 입지가 오랜 시간에 걸쳐 변수로 탈바꿈하게 되는 것입니다.

8.4 좋은 입지는 왜 점점 더 좋아지는가?

그래서 사람이 모여드는 곳은 입지가 점점 더 좋아질 수 밖에 없습니다. 사람이 많은 만큼 인프라가 확충되기 때문입니다. 예를 들어 교통시설이 확충되기 위해서는 그만큼 사용인구가 많아야 합니다. 기본적으로 투자하는 비용(C) 대비 이용객이라는 효용(B)이 커야 예비타당성조사(B/C)를 통과할 수 있죠.

늘어난 인구로 인해 교통망이 새로 생기면 그 교통망을 이용하고자 하는 유효수요를 잡으려는 상권이 새롭게 생겨납니다. 상권이 생겨나고 교통이 편리하면 이를 누리고자 하는 사람들이 더 모여들겠죠. 인구가 더 늘면 당연히 학생 수도 늘어납니다. 학교와 학원이 더 많이 생겨납니다. 이렇게 인구가 늘면 택지개발지구를 새로 지정하여 공급을 늘리거나 개발압력으로 인해 정비사업이 더 활발하게 진행됩니다. 그러면 도시개발사업 지구 내에 일부를 공원부지로 지정해 녹지공간을 만들거나, 구도심이라면 정비사업의 기부채납을 통해서 공원을 새롭게 조성하기도 합니다.

이렇게 입지 요소들은 서로 끌어당깁니다. 좋은 입지는 각 요소

끼리 순환하며 개발압력을 높이고 이는 더 좋은 입지를 만들어
냅니다. 그래서 좋은 입지는 더 좋아지고 안좋은 입지는 더 낙후
되기도 하며, 한편으로는 도심공동화 현상을 만들기도 합니다.
입지에 있어서도 부익부 빈익빈 현상이 나타나는 것입니다.

8.5 '호구'는 왜 입지와 호재에 잘 낚이는가?

이렇듯 좋은 입지는 계속 좋아지는 현상으로 인해 호재가 모여
듭니다. 그리고 사람들은 자연스럽게 그런 지역에 더 많이 관심
가집니다. 가장 대표적인 곳이 교통 및 개발 호재가 있는 입지입
니다. 유명한 사례를 하나 들어보겠습니다.

▲ [그림83] 인덕원마을삼성 위치 및 가격

예시로 가져온 단지는 안양시 동안구 관양동에 있는 '인덕원마
을삼성'이라는 단지입니다. 이곳은 인덕원역에서 가장 가까운 단

지로서 지난 상승장에서 특히 주목받았습니다. 현재 다니고 있는 4호선 뿐만 아니라 인덕원~동탄선, 월곶~판교선에다가 GTX-C까지 예정된 이른바 '경기 서남부의 교통허브'가 될 곳이기 때문입니다.

인덕원마을삼성은 지난 21년 7월 최고가 13억 3,000만원의 실거래가를 찍었습니다. 실로 대단한 상승이죠. 2017년 1월부터 최고가 찍혔던 21년 7월까지 총 185%, 금액으로는 8억 5,800만원이 상승했습니다. 과연 이 사람은 어떤 전략으로 매수했을까요? 아마 앞으로 '더 오를 것'이라는 희망을 안고 사지 않았을까... 조심스럽게 예측해봅니다.

▲ [그림84] 인덕원에 대한 기사

상승장의 특징상, 초입에서는 저가 매물이 소화되는 과정에서 거래가 많이 일어나다가 가격이 본격적으로 상승하기 시작하면 점점 거래량은 줄어듭니다. 호가가 이전 실거래가보다 올라가기 때문에 기대수익률이 떨어지기 때문입니다. 쉬운 말로 표현하자면 이미 많이 올랐기 때문에 더 가격이 상승할 수 있는 여력이 줄어든다는 거죠. 그래서 사람들이 선뜻 높아진 호가를 받아주지 않습니다. 흔히 말하는 고점 논란이 시작되는 시점입니다.

위 기사는 각각 21년 7월, 22년 10월 기사입니다. 좌측 기사를 먼저 보시면 역시나 '고점논란'이 일어났다는 것을 알 수 있습니다. 일종의 테마주처럼 급등했다는거죠. 하지만 우측 기사를 보시면 불과 1년 사이에 분위기가 급변한 것을 느낄 수 있습니다. 입지가 특별히 바뀌거나 GTX 호재가 사라진 것도 아닌데 '반토막 급매'가 나왔다고 합니다. 상승장의 분위기를 타고 가격이 급상승 했으나, 큰 하락거래로 인해 가격과 함께 호재에 대한 기대도 주저앉았다고 볼 수 있겠네요.

13억대의 실거래가가 찍힌 이후 어떻게 가격이 움직였는지 다 알고 계시겠지만 디테일하게 살펴보겠습니다. 안양이므로 평촌 학군지 대장 향촌롯데와 상승, 하락률을 비교해보겠습니다.

	2021년 7월	2022년 1월	2023년 2월	주요 입지요소
안양시 평촌동 **향촌롯데**	5.82억 -	14.0억 8.17억 (+140%)	10.75억 -3.25억 (-23%)	**학군**
안양시 관양동 **인덕원마을대우**	4.62억 -	13.2억 +8.58억 (+185%)	8.02억 -5.17억 (-39%)	**교통 호재**
(가격차)	1.20억	0.8억	2.73억	

가격흐름을 보면 인덕원대우가 향촌롯데 대비 22년 1월까지 45% 더 높은 상승률을 보였습니다. 1.2억 차이나던 가격이 8천까지 좁혀졌죠. 하지만 하락할 때에도 인덕원 대우가 더 급격히 하락했습니다. 40%에 육박하는 하락으로 인해 무려 5억이나 되

는 가격이 떨어졌고 가격차는 오히려 그 전보다 2배 이상 더 벌어졌습니다. 가격이 급격히 상승하다보니 떨어질때도 급격히 하락했으며, 만약 같은 비율로 떨어진다 하더라도 기존 가격 대비 많이 오른 가격에서 떨어지기 때문에 그 충격은 더 클 것입니다. 흔히 말해 '산이 높으면 골이 깊다'고 하는 경우에 해당합니다.

이미 지난 거래들이라 결과를 볼 수 있기 때문에 13억대의 가격이 고점이었다는 것을 지금은 알지만, 과거 22년 초에는 더 올라갈지 떨어질지 아무도 모르는 상황이었습니다. 더 오를 수도 있다는 기대감도 있었죠. 오를지 떨어질지 미래는 알 수 없지만, 이미 많이 올랐기 때문에 리스크 관리가 중요한 상황이었을 겁니다. 더 오르면 당연히 매수자 입장에서는 좋겠지만, 떨어질 때를 대비하지 않으면 오랜 기간 힘든 시기를 겪을 수 있기 때문입니다.

"미래를 알 수 없으니 과거와 현재를 기준으로
합리적인 선택을 하는 것이 중요합니다."

그 당시 어떤 선택을 하는 것이 더 합리적인 선택이었는지 알아보기 위해 최고점이었던 시기인 21년 1월 즈음으로 되돌아가 봅시다.

아래 그래프는 인덕원삼성(32평)과 향촌롯데(33평)의 실거래가격 그래프입니다. 두 아파트가 격차를 두고 오랫동안 움직이다가 상승장 끝자락 A구간에서 가격이 겹칩니다. 그렇다면 A구간에서 어떤 단지를 선택하는 것이 합리적일까요? 이때, 판단을 위해서 '입지'에 대한 배경지식을 활용하면 도움이 됩니다.

■ 인덕원마을삼성(32평) ✕
■ 향촌롯데(33평) ✕

전체삭제

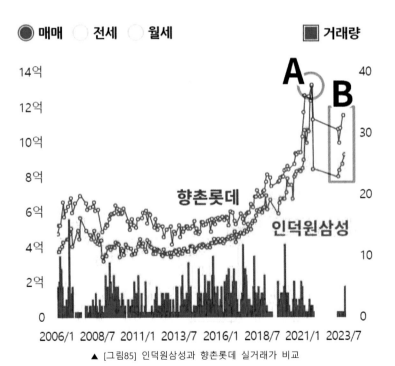

▲ [그림85] 인덕원삼성과 향촌롯데 실거래가 비교

위의 표에 써 놓은 것처럼 향촌롯데는 학군요소가, 인덕원삼성은 교통호재가 더 강한 영향력을 끼치는 곳입니다. 상승장 끝자락에 인덕원역이 GTX-C 정차역으로 확정되면서 타오르던 불장에 기름을 붓게 되었죠. 그렇게 되면서 인덕원삼성이 급등했습니다. 하지만 교통 호재라는 것이 기대감은 크지만 현실화되는 데에는 오래 걸릴 수 있음을, 위에서 언급했습니다. 반면 학군이라는 요소는 오랜 기간에 걸쳐 형성된 것이고 새로 만들거나 대체하기 어려운 요소이기 때문에, 가격 역시 상대적으로 안정적인 흐름을 보입니다. 다르게 표현하자면 아직 실현되지 않은 호재 대비, 현재 누리고 있는 입지요소는 하방지지선을 더 견고하게 만들어준다고 볼 수 있습니다.

합리적으로 접근한다면 과거 20여년 동안 향촌롯데가 계속 더 비쌌기 때문에 앞으로도 향촌롯데가 더 비쌀 '가능성이 높다'고 볼 수 있습니다. 물론 앞으로 더 진보할 지역을 생각할 때, GTX가 큰 영향을 끼칠 수 있습니다. 하지만 호재가 아직 현실화되지 않았는데, 기대감에 가격이 '너무 빨리' 가격이 상승했습니다.

상승장의 꼬리가 더 길게 이어져 가격이 더 상승한다고 했을 때, 어느 단지가 더 많이 올라갈 지는 알 수 없습니다. 하지만 적어도 가격이 떨어진다고 했을 때에는 향촌롯데가 덜 떨어질 '가능성이 높다'고 볼 수 있습니다. 이는 과거 15년간의 가격 흐름을 기반으로 판단한 결과입니다. 따라서 A구간에서 내가 비슷한 가격의 두 물건을 저울질 할 때, 인덕원삼성보다는 향촌롯데를 선택하는 것이 현재로서는 더 합리적이라고 할 수 있으며, 실제 단지를 매수 결정을 할 때 호재나 상승만 생각하기보다 하락의 가능성과 보수적인 관점도 꼭 고려해야 합니다.

물론 인덕원삼성이 안 좋다거나 거품만 있는 아파트라는 뜻은 아닙니다. 인덕원을 가장 가까운 거리에서 이용할 수 있는 '좋은 입지'인 것은 확실합니다. 그리고 GTX는 시간이 오래 걸리겠지만 인덕원~동탄선, 월곶~판교선은 개통목표시기가 26년이기 때문에 지연되더라도 GTX-C보다는 상대적으로 더 빠른 시점에 개통될 수 있습니다. 하지만 호재는 가격에 영향을 줄 때, 시기별로 변동성을 보이며 반영된다는 것을 아서야 합니다. 시장이 좋을 때에는 기대감이 곧 프리미엄으로 형성되어 가격을 끌어올리지만, 시장이 침체되면 미래에 대한 기대감이 줄어들면서 프리미엄도 함께 주저앉게 되고 결국 가격이 하락할 수 있습니다. 심리나 시장 상황에 따라 급등락이 있을 수 있다는 것이죠.(물론 이러한 현상은 호재의 크기나 지역에 따라 다르게 나타날 수 있습니다.) 또한 이 호재라는 것이 현실화 될 때 변동성이 안정화되면서 비로소 '입지'로서의 역할을 하게 되는데, 그때까지는 시간이 걸립니다. 즉, 호재를 너무 낙관적으로만 보면 리스크 관리가 안된다는 점을 기억해야 합니다.

향촌롯데와 한때 같은 실거래 가격을 찍었다는 것은 앞으로 저 가격 이상으로 올라갈 수 있는 저력이 있는 단지라는 뜻이며, 그 것은 예상되는 호재들이 실현될 때 혹은 호재의 실현에 가까울

때 다시 볼 수 있는 가격이라고 생각됩니다. 시장이 다시 상승장으로 돌아서면 교통호재라는 연료를 태워 상승의 불을 지피겠죠. 아무도 알 수 없습니다.

분명한 것은 가격이 다시 상승하기 위해서는 지금 당장이 아니라 시간이 더 필요하다는 것입니다. 시간이 지나 확정된 호재가 현실화되면 입지의 가치가 올라갈 것은 확실합니다. 그리고 그때가 되면 과거 고점의 가격이 혹은 더 높은 가격이 시장에서 받아들여 지겠죠. 하지만 가끔 호재에 눈이 멀면 이러한 '시간'이라는 요소를 빼 먹고 당장에라도 현실화된 것처럼 받아들여 미래의 가치를 현재의 가격으로 앞당기게 되고 비싼 가격에 매수를 하기도 합니다.

그래서 늘 업자들은 '입지'와 '호재'를 호구를 낚는데 자주 사용합니다. 이거 사 놓으면 나중에 분명히 가격이 더 오를거라고 하면서 호재를 그럴듯하게 포장하여 얘기합니다. 그 사람들이 하는 호재나 입지에 대한 이야기는 틀린 얘기가 아닙니다. 하지만 '소요될 시간'에 대한 냉정한 언급은 없습니다. 시간이 지나면 좋아질 물건이나 입지인 것은 분명하나 그때까지 들고 가기에는 시간이 너무 오래 걸릴 수 있습니다. 잘못사진 않았지만 '너무 이른 시기'에 샀다고 볼 수 있습니다. 장기간 가져갈 전략이라면 유효하겠지만 그때까지 버틸 경제적 체력이 부족하거나 나의 예상과 다르게 흘러간다면 상당히 곤란한 상황에 처할 수 있습니다. 그러므로 이러한 실수를 하지 않기 위해서는? 입지만 볼게 아니라 '가격'도 봐야 하는 것이며, 나의 지불능력만 생각할 것이 아니라 시장의 상황과 함께 가격이 싼지 비싼지 평가할 수 있어야 합니다.

9 | 입지론의 함정에
빠지지 않기 위해서

  요즘에는 각 지역의 입지에 대해 해설하는 내용들을 쉽게 찾아볼 수 있습니다. 지역의 지형부터 소득수준, 교통, 학군, 상권, 호재 그리고 각 단지의 시세까지. 조금만 검색해도 많은 정보를 얻을 수 있고 책도 많죠. 프롭테크의 발전과 부동산 정보의 빠른 회전으로 인해 입지에 대한 정보는 넘쳐납니다. 오늘 아침에 체결된 거래나 새벽에 발표된 부동산 정책도 아침에 부동산 단톡방을 통해 깔끔하게 정리되어 전달되는 시대니까요. 그렇다면 우리는 이러한 정보를 활용하는 것이 중요하며, 다양한 시장의 변수들과 함께 총체적이고 입체적으로 이해할 수 있어야 합니다. 그리고 무엇보다 내가 사려는 물건의 가격이 싼지 비싼지에 대해 평가할 수 있어야 합니다.

> "가격이 지금보다 더 올라서 수익을 거두는 것이 아니라
> 살 때부터 이미 안전마진이 있어야 합니다."

9.1 살 때부터 안전마진을 확보해야 하는 이유

  투자에서는 입지 대비 싼 곳을 찾아 안전마진을 확보하는 것이

가장 중요합니다. 가격이 지금보다 더 올라서 수익을 만드는 것이 아니라 살 때부터 이미 안전마진이 있는 것을 골라야 한다는 뜻입니다. 어떤 아파트의 가격이 오를지 떨어질지 흐름을 완벽하게 예측할 수 없기 때문에 '사전에 확보된 안전마진'을 확인해야 합니다. 확보된 안전마진은 내가 산 아파트의 가격이 하락할 때 안전마진의 크기만큼 내 자산과 심리를 보호해주는 완충재 역할을 해줍니다. 적어도 본전까지 올 때까지는 팔지 않고 버틸 수 있게 해주고, 공포에 빠져 헐값에 던지지 않도록 내 멘탈을 잡아줍니다. 그렇게 힘든 시기를 버티면 분명 가격을 회복하는 시기가 찾아옵니다. 이는 역사가 계속 증명해 왔습니다. 물론 시기별로 흔들림은 있을 수 있으나, 길게보면 자산은 인플레이션을 먹고 자랄 수밖에 없으니까요.(그렇다고 해서 아무거나 사도 다 오른다는 얘기는 아닙니다.)

그래서 어느 지역 어느 단지 입지가 더 좋은지 줄 세우기를 하는 것이 중요하지 않습니다. 그리고 누가 그 지역에 대해 더 많이 알고 있는지 지식자랑을 하는 것 역시 중요하지 않습니다. 결국 안전마진이 있는 물건, 저평가된 물건을 찾는 것이 가장 중요합니다. 그 지역과 그 단지가 좋은 건 알겠는데 문제는, 지금 그 가격이 입지 대비 싼가 비싼가. 그것을 판단하는 것이 가장 중요하며, 그 물건의 가격이 흔들려도 다시 상승할 때까지 계속 가져갈 수 있는 믿음과 버틸 수 있는 체력 역시 필요합니다.

9.2 입지론에 매몰되지 않고 입지의 한계를 뛰어넘으려면

그래서 항상 강조하는 것이 '입지론에 매몰되지 말라'는 것입니다. 왜냐하면 입지라는 것이 가격 상승의 충분조건이 아니기 때문에, 이러한 입지에 대한 지식만으로 가격의 변화를 다 알 수 없습니다. 우리가 알고 싶은 것은 내가 살 수 없는 압구정 현대나 이촌동 한강맨션의 10년 후 오를지 말지가 아니라, 내 돈으로 살 수 있는 아파트의 3,4년 후의 가격이 궁금한 것입니다.

아무리 좋은 '입지'라도 현재 내가 사려는 '가격'이 중요합니다. 무조건 '좋은 입지만이 살아남는다'는 생각은 항상 내가 가진 자금으로 갈 수 없는 곳만을 보게 만듭니다. 그러면 무기력에 빠질 수 있습니다. 그래서 무조건 좋은 입지만 가려고 생각하기 보다는 현재 내 돈으로 살 수 있는 곳 중에서 가장 좋은 곳이 어디인가를 생각해야 하며, 그러한 곳에 안전마진이 있는지를 평가하는 것이 중요합니다.

강남이나 서초, 과천, 판교 같은 곳이 입지적으로 좋다는 것은 모두가 알고 있고, 앞으로도 대체할 수 없는 곳이기 때문에 가격이 더 오를 수 있다는 것은 모두가 알고 있습니다. 하지만 그 곳에 바로 입성할 수 있는 돈이 없기 때문에 우리는 징검다리가 필요합니다. 특히 아직 경제활동을 시작한지 얼마 되지 않은 20~30대의 경우에는 더욱 그러합니다. 내 돈으로 갈 수 있는 가장 좋은 곳에 가서 안전마진을 남겨 한 계단씩 올라가는 것이 더 나은 삶을 위한 가장 현실적인 방법이라고 할 수 있습니다.

"그래서 상급지만 찾을게 아니라

더 낮은 입지라 하더라도 안전마진이 있다면

과감하게 매수할 수 있는 용기가 필요합니다."

　작은 수익를 거둬보는 경험이 모이면 나중에는 더 큰 수익을 일궈낼 수 있는 밑거름이 됩니다.

　반대로 입지가 좋든 나쁘든 간에 입지 가치 대비 그 가격보다 비싸게 산다면 합리적인 선택이 아닐 수 있습니다. 아무리 좋은 입지더라도 앞으로 더 올라갈 것이라는 기대만으로 사는 것은 오랜 시간 나를 힘들게 만들 수도 있습니다. 흔히 말하는 '꼭지'에 살수도 있기 때문에 사두면 언젠가는 올라가겠지라는 생각이 가장 위험하며, '시간'이라는 비용을 상당히 많이 쓰게 될 수도 있습니다. 따라서 입지만 보고 물건을 살 것이 아니라 입지 대비 가격이 적정한가에 대한 판단을 꼭 하셔야 합니다.

　좋은 물건을 고르는 것은 어렵지 않습니다. 가격을 보면 알 수 있기 때문입니다. 하지만 문제는 이렇게 좋은 물건도, 우리나라 최상급 입지의 아파트들도 가격 하락을 피하기 어렵습니다. 입지가 제일 중요하다는 생각으로 좋은 입지의 물건을 가치 대비 더 비싼 가격으로 샀다가는 앞에서 보셨듯이 가격 하락의 시기를 길게 견뎌야 할 수도 있습니다. 그러니 좋은 입지의 물건을 싼 가격으로 살수 있는 시기에. 적어도 비싸지 않은 시기에 진입할 수 있도록 '가격을 평가하는 역량'을 꼭 갖춰야 합니다. 가치 대비 저평가되어 있는 물건을 좋은 시기에 하나씩 모아 수익을 쌓아간다면 2030도 나중에 5060이 되면 상당한 자산을 쌓을 수 있으리라고 봅니다. 늘 시작은 작지만 속도가 붙으면 기하급수적으로 늘어날 수 있는 것이 바로 자산임을 기억하시기 바랍니다.

10 | 에필로그 :

입지의 계열을 알아야 한다

부동산에서 좋은 입지의 물건을 사는 것은 매우 중요합니다. 하지만 앞에서 언급한대로 좋은 입지는 늘 비쌉니다. 모두가 살 수 없죠. 대부분의 사람들은 자원이 한정되어 있기 때문에 우리는 무조건 좋은 입지를 찾는다기 보다는 '한정된 자원으로 가장 좋은 입지의 물건'을 사는 것이 중요합니다. 다시 말해 부동산에 있어서 고려해야 할 가장 중요한 2가지는 바로 '입지'와 '가격'이라는 것입니다.

10.1 객관적으로 계량화할 수 없는 '입지'평가

구분	S	A	B	C	+/-
직장	근로자수 30만명 이상	근로자수 20만명 이상	근로자수 10만명 이상	근로자수 30만명 미만	일자리의 질 (사업장 규모, 연봉(보험료))
교통	강남 30분 이내	강남 1시간, 부도심 30분 이내	부도심 1시간 이내	그 외	편리성 및 다양성
학군	학업성취도 95% 이상	학업성취도 90% 이상	학업성취도 85% 이상	학업성취도 85% 미만	면학분위기
환경	1km 이내 백화점 2개 이상	1km 이내 백화점 1개 이상	1km 이내 대형마트	그외	편의 or 유해시설 존재유무
공급	입주물량 없음	인구수 대비 0.5% 이하	인구수 대비 0.5%~1.0%	인구수 대비 1.0% 초과	주변지역 공급물량

▲ [그림86] 입지평가표

위 표는 입지를 평가할 때 자주 쓰이는 표입니다. 직장, 교통,

학군, 환경, 공급 5가지입지 요소를 4구간으로 나누어 점수를 매기고 총점을 따져 가장 좋은 입지의 아파트를 고를 때 사용합니다.

문제는 입지를 평가하는 주체가 개인이라면 그 평가 결과를 객관적이라고 보기 어렵다는 것입니다. 위의 표를 보면 상당히 객관적인 기준을 써 놓았지만 입지라는 것이 살아보지 않으면 알 수 없는 부분들도 많고, 표 하나로 정리할 수 없는 복잡다단한 것들이 훨씬 더 많기 때문에 표 하나만으로 신뢰성을 보장하기 힘듭니다.

그래서 자신의 상황이나 성향, 취향에 따라 같은 아파트를 보아도 다르게 평가할 수 있습니다. 예를 들어 학군이라고 하면, 학업 성취도 말고도 동네 전체의 학업 분위기나 학원의 양과 질, 부모의 경제력과 아이들의 성향 등 객관적으로 측정할 수 없는 인문사회적 요소가 너무나 많습니다. 살아봐야 아는 것들이죠. 그래서 평가하는 사람마다 입지에 대한 인식이 다르고 평가가 다르며, 사람마다 '살기 좋다'라고 표현하는 곳이 저마다 다른 것입니다.

또한 어떤 아파트가 10억이라고 할 때, 직장 요소가 3억, 교통이 2억, 학군이 2억, 환경이 3억. 이런 식으로 각 부문의 입지 요소가 얼마나 그 비중을 차지하는지 알기도 어렵습니다. 각 요소별 가격이 왜 그렇게 책정되었는지 설명하는 것은 더 어렵죠. 그렇기 때문에 일반 사람들이 입지 평가를 할 때에는 '그 아파트

참 살기 좋다'라는 식의 총체적이고 모호한 표현으로 뭉뚱그려 말하곤 합니다.

개인별 상황이나 취향에 따라 각 요소별 가중치가 있기 때문에 각 요소별 비중을 알 수 없고, 사람들은 입지 요소를 생활 속에서 '총체적'으로 느낍니다. 우리의 물건을 사주거나 우리에게 물건을 파는 '부동산에 관심없는 일반 대중들은' 생활 속에서 입지라는 것을 분절적으로 생각하지 않는다는 것입니다.

10.2 간결하고 명확하면서도 신뢰도 높은 '가격'평가

우리에게 중요한 것은 좋은 '입지'를 좋은 '가격'으로 사는 것인데, 이때 입지는 늘 상하위계가 헷갈립니다. 왜냐하면 입지는 직접 비교가 어렵기 때문입니다. A와 B 지역을 놓고 어디가 일자리 부분에서 더 좋냐, 혹은 어디가 교통이 더 좋냐라고 따질 때, 한 쪽이 압도적으로 좋은 게 아니라면 어디가 더 좋다고 확실하게 말하기가 어렵습니다. 사람마다 생각이 다르니까요.

입지는 앞에서 설명한 바와 같이 객관화, 수치화가 어렵기 때문에 비교가 어렵습니다. 하지만 가격은 그 자체로서 수치화 되어 있습니다. 그렇기 때문에 비교할 때, 숫자를 비교하면 편리합니다. 실제 입지를 비교한다고 하면 결국 '가격'을 기준으로 비교하는거죠.

이러한 특성을 이용해 우리는 입지를 평가해 가격을 매기는 것이 아니라 가격으로 입지를 평가해야 합니다. 쉽게 말하자면 '비싼 곳이 입지가 더 좋은 곳이다'라는 것입니다. 아주 쉬운 문장인데도 사람들은 많이 헷갈려 합니다. 늘 거꾸로 생각하려 하기 때문이죠.

대부분의 사람들은 '○○아파트는 입지를 따졌을 때, 이 가격이 싼가 비싼가?'를 생각합니다. 이렇게 사고를 시작하면 이 지역의 일자리 크기와 학원의 개수를 알아보고 지하철역과의 거리도 재 보겠죠. 아마 어떤 호재가 있는지도 알아볼 겁니다. 하지만 순서가 거꾸로입니다. '○○아파트와 같은 가격의 아파트는 어떤 곳이 있을까?'라고 접근해야 훨씬 간결하고 명확하게 접근할 수 있습니다. 만약 ○○아파트보다 더 상위 입지의 △△아파트가 더 저렴한 가격이라면? ○○아파트는 고평가되어 있는 것이며 현재 가격은 비싸다고 판단할 수 있습니다. 아니면 반대로 △△아파트가 저평가일 수도 있습니다. 적어도 지금 가격으로는 ○○아파트를 사면 안된다는 결론을 쉽게 얻을 수 있죠.

해당 지역의 일자리도, 지하철역과의 거리도, 학원 개수도, 호재도 검색할 필요가 없습니다. 가격만 비교해봐도 빠르고 간결하게 매수 여부를 판단할 수 있습니다.

"그 이유는 가격이 곧 입지 점수의 총합이기 때문입니다."

해당 아파트의 입지가 가진 각 요소들의 효용가치를 합으로 매긴 것이 가격입니다. 그리고 자신의 소중한 자산을 지불하면서까

166

지 그 가격에 실거래를 했기 때문에 시장에서도 받아들여지는 '객관적인 기준'으로서 신뢰할 수 있습니다. 그렇다면 이러한 가격평가를 하기 위해서는 각 지역의 계열을 알고 있어야 합니다. 어디가 더 상위급지인지 하위급지인지를 분석하는 것이죠. 이러한 내용을 알쓸경비 2부에서 알아볼 예정입니다.

10.3 알쓸경비 2부 '가격평가'편 예고

곧 출간될 2부에서는 이러한 가격평가 방법에 대한 내용이 담길 예정입니다. '입지'에 대해 이해했다면 이제 '아파트 가격이 싼지 비싼지에 대한 평가(가격평가)'를 할 수 있어야 합니다.

만약 아래 두 질문에 대해 빠르게 결정할 수 없다면? 2부의 내용을 꼭 읽어보시기 바랍니다. 부동산과 관련된 당신의 의사결정 능력을 높여드립니다.

- 당신이라면 강동구와 분당구, 어디를 사시겠습니까?
- 일산과 수지, 어디가 좋아?

▲ [그림87] (좌)강동구와 분당구 위치, (우)블라인드 앱 캡쳐

부동산에서 가격을 평가하는 가장 대표적인 방법은 '비교평가' 입니다. 비교평가를 하기 위해서는 각 지역의 위계를 알아야 합니다. 쉽게 말해 어느 지역이 더 상급지인지 알아야 합리적인 의사결정을 할 수 있습니다. 또한 가격자체로 저평가 여부를 판단하는 방법도 있습니다. 여러 부동산 지표 중에서 가장 핵심적인 3가지 지표를 중심으로 가격이 오르고 내리는 원리를 꿰뚫고 최고의 매수 타이밍을 찾는 방법을 알려드립니다.

- 부동산 투자에서 나무(아파트)보다 숲(지역)을 먼저 봐야 하는 이유
- 부동산 투자 3대 지표의 이해
- 가격, 공급물량, 미분양의 관계와 데이터 활용 비법
- 매매가격과 매매지수의 의미와 활용법
- 매매-전세 가격지수 분석을 통한 최고의 투자 타이밍 찾기
- 어느 지역이 더 상위급지인지 빠르게 찾아내는 방법
- 지역별 '표본'아파트 선정과 지역흐름 읽는 방법
- 각 지역별 표본아파트 비교 및 지역간 투자 타이밍 찾기
- 가격이 싼지 비싼지 평가하는 2가지 비법

The RichRabbit

THE RICHRABBIT

✉ therichrabbit@naver.com
💬 open.kakao.com/me/therichrabbit
📝 https://blog.naver.com/radiunt2
📷 https://instagram.com/the_richrabbit

(강연 및 협업 문의는 QR의 카카오톡 오픈채팅으로)